THINK
LIKE
AN
ARTI
FICAL INTELLIGENCE

춘사변인석기념총서 12

인공지능의 지식 추론 방법 이해하기

인공지능처럼
생각하기

Think like
an Artificial
Intelligence

변해원 지음

변해원

아주대학교 의과대학 예방의학교실에서 치매 고위험군 예측을 주제로 이학박사(DrSc)를 취득하였고, 현재 인제대학교 메디컬 빅데이터학과 / BK21 대학원 디지털항노화헬스케어학과 교수 및 인제대학교 부속 보건의료 빅데이터 연구소 센터장으로 재직하고 있다. 2010년부터 2023년까지 International Psychogeriatrics 등 국내외 저명 학술지에 400여 편의 논문을 발표하였고, 파킨슨 치매 중등도 예측장치 등 100여 건의 지식재산(특허)을 발명하였다. 또한, 스위스 뇌과학회 학술대회, 일본 국제융합과학학술대회 등 다수의 국내외 학술상을 수상하였다. SCIE급 저널인 세계정신과학에서 편집위원으로 활동하고 있으며, 2019년부터는 한국연구재단에서 주관하는 일반인 대상 과학강연인 '토요과학강연회의 강연자로 참여하고 있다. 저서로는 「노년기 건강 습관과 치매」 등이 있다.

인공지능처럼 생각하기

지은이 변해원 (인제대학교 교수 / 인제대학교 부속 보건의료 빅데이터 연구소 센터장)

발 행 2024년 03월 20일
펴낸이 한건희
펴낸곳 ㈜ **BOOKK**
출판사등록 2014.07.15.(제2014-16호)
주 소 서울특별시 금천구 가산디지털1로 119 SK트윈타워 A동 305호
전 화 1670-8316
이메일 info@bookk.co.kr

ISBN 979-11-410-7504-0

값 21,400원

인공지능처럼 생각하기

Think like an Artificial Intelligence

변해원 (인제대학교 교수 /
인제대학교 부속 보건의료 빅데이터 연구소 센터장)

BOOKK✎

차 례

들어가며

인공지능(Artificial Intelligence, AI), 종종 기계 지능 (Machine Intelligence)이라고도 불리는 것은, 자연 지능 (Natural Intelligence)인 인간과 다른 동물의 지능과 대비되는 기계가 표현하는 지능입니다. 기계는 시간이 지남에 따라 지능을 학습하고 향상시킬 수 있는 능력을 가지고 있습니다. 인공지능의 반대 개념은 자연 지능으로, 인간뿐만 아니라 다양한 다른 생물에서도 발견될 수 있습니다. 인공지능이 완전히 작동하면 음성 인식, 학습, 전략 계획, 문제 해결 등 수많은 작업을 수행할 수 있습니다. 로봇 공학(Robotics)은 지각과 행동 사이의 연결에 집중하는 학문 분야로, 인공지능은 로봇 공학에서 지각과 행동 사이의 지능적인 관계를 가능하게 하는 중요한 역할을 합니다. 인공지능 연구의 목표는 사고의 다양한 측면에 필요한 정보 유형, 지식의 표현 방법, 지식의 적용 방법 등을 탐구하는 것입니다.

1장. 소개

"인공지능"의 약자인 AI는 컴퓨터 과학의 한 분야로, 기계가 복잡한 문제를 인간이 해결하는 방식과 유사한 방식으로 해결할 수 있는 능력을 제공하는 데 중점을 둡니다. 대부분의 경우, 여기에는 인간 지능의 측면을 가져와 컴퓨터가 접근할 수 있는 형식의 알고리즘으로 구현하는 것이 포함됩니다. 설명된 요구 사항에 따라 어느 정도 유연하거나 효율적인 전략을 선택할 수 있으며, 지능적인 행동이 인공적으로 보이는 정도는 선택한 전략에 정비례합니다. AI는 컴퓨터 과학 분야와 가장 일반적으로 연관되어 있지만, 수학, 심리학, 인지학, 생물학, 철학 등 다른 분야와도 많은 관련이 있습니다. AI는 컴퓨터 시스템에서 인간의 행동과 사고 과정을 모델링 하려고 하기 때문입니다. 인공지능을 구축하는 과정에서 우리가 얼마나 멀리 나아갈 수 있을지는 궁극적으로 이러한 각 하위 분야에서 얻은 지식을 어느 정도 결합할 수 있는지에 따라 결정될 것입니다.

현재 인공지능은 지각, 논리적 추론과 같은 범용 영역부터 체스, 수학 정리 증명, 시 쓰기, 질병 진단과 같은 특정 작업에 이르기까지 방대한 수의 하위 분야를 포괄하고 있습니다. 이러한 보다 구체적인 과제의 예로는 체스 두기, 시 쓰기, 질병 진단 등이 있습니다. 평생 지적 프로젝트를 수행해 온 과학자들은 종종 인공지능으로 서서히 전환하면서 평생 해온 작업을 정리하고 자동화하는 데 필요한 도구와 용어를 발견합니다. 인공지능 분야 종사자는 인간이 지적 활동을 하는 모든 분야에 자신의 접근 방식을 적용할 수 있습니다. 그렇기 때문에 우리는 인공지능을 보편적인 분야라고 자신 있게 부를 수 있습니다.

1.1 인공지능의 역사

컴퓨터 계산의 초창기는 인공지능의 뿌리를 추적할 수 있는 곳입니다. 현대 컴퓨터의 발전은 1940년대와 1950년대에 걸쳐 인공지능(AI)이 크게 발전하기 시작한 시기와 일치합니다. 뉴웰과 사이먼은 지능형 컴퓨터 프로그램을 처음 시도한 선구적인 두 연구자였습니다. 이들이 만든 최초의 유명한 소프트웨어는 '논리 이론가'로 불리며, 직접 설계한 문제 해결 컴퓨터와 표준 논리 규칙을 사용하여 주장을 증명하는 프로그램을 결합한 것이었습니다. 1950년대 후반에는 이미 기술 문서를 번역할 수 있는 수준의 프로그램이 존재했습니다.

이러한 방법을 덜 형식적이고 모호한 글에 적용하기 위해서는 더 많은 데이터베이스와 더 강력한 컴퓨터 성능만 있으면 된다고 믿었습니다. 문제 해결에 대한 대부분의 연구는 뉴웰, 쇼, 사이먼이 일반 문제 해결사(GPS)에 대한 연구에 기여한 것을 중심으로 이루어졌습니다. 안타깝게도 GPS는 그 잠재력에 부응하지 못했으며, 그 이유 중 하나는 기본적인 컴퓨터 성능의 부족이었습니다. 전문가의 지식을 일련의 규칙으로 보여주는 전문가 시스템은 1970년대에 만들어졌으며 인공지능(AI)의 가장 핵심적인 개념으로 간주됩니다. 전문가 시스템의 활용 가능 범위는 매우 광범위합니다. 1980년대에는 사례 관찰을 통한 학습 방법으로 신경망이 개발되었습니다.

에든버러 대학교의 피터 잭슨 교수에 따르면 인공지능의 역사는 세 가지 단계로 나눌 수 있습니다.

1. 고전적
2. 낭만주의
3. 현대

고전 시대:

이 모든 것은 1950년에 시작되었습니다. 인공지능이라는 개념이 처음 언급된 것은 1956년입니다. 이 기간 동안 수행된 주요 연구 프로젝트에는 게임 플레이, 정리 증명, 문제 해결을 위한 상태 공간 접근법 개념 개발 등이 있습니다.

낭만주의 시대

이 모든 것은 1950년에 시작되었습니다. 인공지능이라는 개념이 처음 언급된 것은 1956년입니다. 이 기간 동안 수행된 주요 연구 프로젝트에는 게임 플레이, 정리 증명, 문제 해결에 대한 상태 공간 접근법 개념 개발 등이 있습니다.

현대 시대:

1970년에 시작되어 현재까지 이어지고 있습니다. 이 시기는 보다 복잡한 문제를 해결하기 위해 설정되었습니다. 이 기간 동안 연구자들은 인공지능(AI)의 이론적 응용과 실제 적용에 모두 집중했습니다. 이 기간 동안 인공 뉴런, 패턴 인식, 전문가 시스템과 같은 아이디어가 처음으로 개념화되었습니다. 패턴 인식과 신경망 연구는 모두 아직 초기 단계에 있으므로 아직 발견해야 할 정교한 아이디어가 많이 있습니다.

1.2 AI의 구성 요소

AI에는 세 가지 유형의 구성 요소가 있습니다.

1) AI의 하드웨어 구성 요소

   a) 패턴 매칭

   b) 논리 표현

   c) 기호 처리

   d) 숫자 처리

   e) 문제 해결

   f) 휴리스틱 검색

   g) 자연어 처리

   h) 지식 표현

   i) 전문가 시스템

   j) 신경망

   k) 학습

   l) 계획

   m) 시맨틱 네트워크

2) 소프트웨어 구성 요소

   a) 기계 언어

   b) 어셈블리 언어

   c) 고급 언어

   d) LISP 언어

   e) 4세대 언어

   f) 객체 지향 언어

   g) 분산 언어

   h) 자연어

   i) 특정 문제 해결 언어

3) 아키텍처 구성 요소

   a) 유니프로세서

   b) 멀티프로세서

   c) 특수 목적 프로세서

   d) 배열 프로세서

   e) 벡터 프로세서

   f) 병렬 프로세서

   g) 분산 프로세서

1.3 인공지능의 정의

1. 현재로서는 사람이 더 잘 할 수 있는 활동을 컴퓨터가 수행하도록 하는 방법을 연구하는 것을 인공지능 또는 줄여서 AI라고 합니다. 이는 현재 컴퓨터 과학의 수준과 관련이 있으며 현재 컴퓨터나 사람이 적절하게 처리할 수 없는 문제라는 중요한 측면을 놓치고 있기 때문에 일시적인 해결책입니다.

2. "인공지능"이라고도 하는 인공지능은 일반적으로 사람이 수행할 때 지성을 적용해야 하는 작업을 컴퓨터가 수행할 수 있는 방법을 개발하는 데 중점을 둔 연구 분야입니다. 다시 말해, 인공지능(AI)은 인간의 지성을 모델링하려는 컴퓨터 과학의 하위 분야입니다.

3. "인공지능(AI)"이라는 용어는 컴퓨터 프로그래밍을 사용하여 지능적인 행동의 시뮬레이션 사용에 중점을 둔 컴퓨터 과학 분야를 의미합니다. 인공지능(AI)은 컴퓨터 과학의

기초로 구성된 토대 위에 구축됩니다. 이러한 기초에는 지식 표현에 사용되는 데이터 구조, 해당 정보를 적용하는 데 필요한 알고리즘, 구현에 사용되는 언어 및 프로그래밍 방법이 포함됩니다.

4. 인공지능은 단순히 AI라고도 하며, 순전히 계산 기법으로 지능적인 행동을 분석하고 표현하고자 하는 컴퓨터 과학의 한 분야입니다.

5. 인공지능 분야의 연구 개발 목표는 지금까지 인간이 처리해 왔던 문제에 대한 해결책을 자동으로 또는 독립적으로 찾을 수 있는 표현과 방법을 만드는 것입니다.

6. 인공지능이라고도 하는 인공지능은 컴퓨터에서 사용할 수 있는 지능형 소프트웨어 및 하드웨어 개발에 중점을 둔 컴퓨터 과학의 하위 분야입니다. 이 정의에 따르면 지능형 컴퓨터 시스템은 언어를 이해하고, 학습하고, 추론하고, 문제에 대한 해결책을 찾는 능력과 같이 일반적으로

지능적인 인간 행동과 관련된 행동을 보여주는 시스템입니다. 이러한 행동의 예로는 문제 해결 능력과 학습 능력이 있습니다.

7. 인공지능은 컴퓨터 시뮬레이션을 사용하여 인간의 인지 능력(AI)을 조사하는 연구 분야를 말합니다.

8. 인공지능은 보고, 추론하고, 행동할 수 있는 능력을 부여하는 계산을 연구하는 학문입니다. 이러한 계산에 대한 연구를 인공지능(AI)이라고 합니다.

9. 컴퓨터에게 두뇌를 가진 기계처럼 생각할 수 있는 능력을 부여하는 것을 목표로 하는 흥미로운 새로운 시도이며, 가장 문자 그대로의 해석을 사용합니다.

10. 인공지능 분야는 정보를 저장하고 그 지식을 효과적으로 사용하여 문제 해결 및 활동 완료 프로세스를 지원할 수 있는 컴퓨터 시스템 개발과 관련이 있습니다. 이 분명한

주장은 사람들을 교육하는 과정에서 중요한 것으로 널리 인정되는 목표 중 하나라는 특징을 모두 가지고 있습니다. 우리는 학생들이 공부하거나 새로운 자료를 얻는 것뿐만 아니라 이 정보를 적용하여 문제를 해결하고 프로젝트를 완수하는 데 도움이 되는 방법을 이해하기를 원합니다.

1.4 약하고 강한 인공지능

인공지능에 대한 두 가지 학파가 있는데, 각각 약한 인공지능과 강한 인공지능으로 알려져 있습니다. 강인공지능은 기계가 지적인 개인과 같은 방식으로 복잡한 문제를 사실상 해결할 수 있다는 점에서 큰 가능성을 가지고 있습니다. 이들은 기계가 소수의 인간 전문가보다 문제에 대한 해결책을 찾는 데 훨씬 더 효과적이라고 주장합니다. 강력한 인공 지능은 컴퓨터가 마음을 연구하기 위한 도구일 뿐만 아니라 적절하게 설계된 컴퓨터가 실제로 그 자체로 마음으로 기능할 수 있다고 주장합니다. "강력한 AI"라는 개념은 일부 유형의 인공지능이 실제로 추론하고 문제에 대한 해결책을 찾을 수 있다는 가설을 말합니다. 존 설은 "강한 AI"라는 용어를 처음 사용한 것으로 알려져 있습니다.

반면에 약한 인공지능은 인공지능의 잠재적 결과에 대해 너무 낙관적이지 않으며, 컴퓨터를 더 효과적인 도구로 만들기 위해 특정 사고와 유사한 기능을 컴퓨터에 부여할 수 있다고 주장합니다. 컴퓨터를 더 효과적인 도구로 만들기 위해 컴퓨터를 수정해야 한다고 주장합니다. 컴퓨터가 매우 다른 방식으로 설계되지 않는 한 인간과 동일한 수준의 지능을 갖도록 만들 수 없다고 말합니다. 이들은 컴퓨터가 특정 상황에서는 인간 전문가와 비슷할 수 있지만 어떤 상황에서도 동등하지 않다고 주장합니다. 대부분의 맥락에서 "약한 인공지능"이라는 용어는 인간이 가진 인지 능력의 전체 스펙트럼을 포함하지 않는 문제 해결 과제를 조사하거나 완료하는 데 컴퓨터 프로그램을 적용하는 것을 의미합니다. 컴퓨터 체스 프로그램은 그다지 강하지 않은 인공지능의 한 예입니다. 약한 인공지능 시스템은 스스로 추론할 수 없기 때문에 "지능적"이라고 할 수 없습니다.

1.5 인공지능의 작업 영역

인공지능의 영역

- **머신 비전:** 텔레비전 카메라를 컴퓨터에 연결하고 이미지를 메모리에 저장하는 것은 기본적인 작업입니다. 그러나 이미지가 실제로 무엇을 나타내는지 인식하는 것은 훨씬 복잡한 과제입니다.

- **시각 처리:** 시각 처리는 상당한 양의 처리 능력을 요구합니다. 인간의 경우, 전체 칼로리 소비량의 약 10%가 시각 처리에 사용되며, 이는 가장 에너지 집약적인 인지 과정 중 하나입니다.

- **음성 언어 이해:** 현대 시스템은 사용자의 말을 이해할 수 있으며, 일부 시스템은 사용자가 지시를 내리기 위해 문장 사이에 잠시 멈추는 것이 필요합니다. 어휘가 풍부하고 연속적인 음성은 이해하기 어려울 수 있습니다.

- **햅틱 또는 촉각 감지:** 터치 센싱은 로봇 조립 작업에 매우 중요합니다.

로봇 공학:

역사적으로 산업용 로돗은 비용이 많이 들었지만, 로봇 하드웨어 자체는 상대적으로 저렴할 수 있습니다. 예를 들어, Radio Shack은 약 15달러에 작동하는 로봇 팔과 손을 제공했습니다. 로봇 기술의 널리 채택되지 않은 이유는 하드웨어 비용이 아니라, 로봇에게 무엇을 해야 하는지 알려주는 시각과 지능의 부재입니다. 예를 들어, 자동차 차체에 스프레이 페인트를 칠하는 것과 같은 고도로 조직화된 작업은 현재 '시각 장애인' 로봇이 수행할 수 있는 유일한 작업입니다.

계획:

계획의 목적은 목표를 달성하기 위해 활동을 조직하는 것입니다. 계획의 응용 분야에는 물류, 생산 일정 수립, 제조 단계 조정 등이 포함됩니다. 세심한 준비를 통해 상당한 비용 절감이 가능합니다.

전문가 시스템:

전문가 시스템은 인간 전문가의 지식을 컴퓨터에 저장하고 사용자가 이를 활용할 수 있도록 하는 것을 목표로 합니다. 전문가 시스템은 다음과 같은 장점을 제공합니다.

- 복잡한 장비 운용에 필요한 전문 지식의 양을 줄일 수 있습니다.
- 장비 수리를 위한 진단 조언.
- 복잡한 데이터 해석.
- 희귀한 전문 지식의 '복제'.
- 경험 많은 전문가의 지식 문서화.
- 여러 전문가의 지식 통합.

정리의 증명:

수학적 정리 증명은 주로 학계에서 관심을 받지만, 현실 세계의 많은 문제들도 정리로 표현될 수 있습니다. 일반 정리 증명기는 광범위한 응용 분야를 가질 수 있는 잠재력을 가지고 있습니다. 예를 들어, J. 무어와 동료들은 AMD CPU 칩에서 부동소수점 나누기 기법의 유효성을 입증했습니다.

기호 기반 수학:

기호 수학은 숫자 데이터에 대한 산술 연산 대신 수식 조작에 중점을 둡니다. 이에는 대수, 미적분 등이 포함됩니다. 기호 조작은 종종 과학 컴퓨팅과 함께 사용되며, 과학 및 기술 분야에서 사용되는 워크스테이션에는 기호 조작 소프트웨어가 필수적입니다.

게임에 참여하기:

게임은 높은 수준의 공식화, 컴팩트한 크기, 독립적으로 실행 가능한 특성으로 인해 훌륭한 학습 수단입니다. 게임을 통해 학습한 전략과 전술은 실제 문제에 적용될 수 있습니다.

인공지능 기술:

지식은 지능을 위해 필요하지만, 광범위하고 정확하게 정의하기 어렵고, 계속 진화하며, 용도에 맞게 구성된다는 점에서 데이터와 다릅니다. 지식이 일반화를 포착하고, 속성을 공유하는 상황을 그룹화하는 방식으로 표현되는 것은 인공지능(AI)의 한 기법입니다. 대부분의 데이터는 자동으로 생성될 수 있지만, 이를 이해하고 프로그램에 적용하는 것은 인간의 몫입니다. 오류를 수정하고 실제 세계의 변화를 반영하기 위한 변경은 간단합니다. 이를 활용하여 평가해야 할 옵션의 범위를 좁히는 데 도움을 줄 수 있습니다.

문제 공간 및 검색:

솔루션 지향 시스템을 개발하려면 다음과 같은 프로세스를 완료해야 합니다:

- 문제의 성격과 범위를 명확히 표현하고, 필요한 배경 지식을 분리하여 표현하며, 가장 효과적인 해결 방법을 선택합니다.
- 문제에 대한 심층적인 분석을 수행합니다.

문제를 상태 검색으로 정의하기:

인공지능에서 "상태"는 문제 해결 과정의 각 단계를 나타냅니다. 문제 해결은 가능한 상태의 집합으로 생각할 수 있으며, 상태에 연산자를 적용하여 새로운 상태를 생성하는 것이 해결 방법입니다. 이 과정은 '상태 공간 접근법'으로 알려져 있습니다. 예를 들어, 체스와 같은 게임에서는 게임 규칙, 승리 목표, 플레이어의 위치 등이 필요합니다. 시작 위치를 초기 상태로, 승리 위치를 목표 상태로 식별할 수 있습니다. 이는 체계적인 검색과 확립된 방법을 사용해야 함을 나타냅니다.

문제에 대한 공식적인 설명:

상태 공간은 관련 객체의 모든 잠재적 구성을 포함하지만, 모든 상태를 열거하지는 않습니다. 문제는 상태와 상태를 변경하는 연산자 측면에서 표현됩니다. 허용 가능한 솔루션을 대상 상태로 지정하고, 잠재적 활동으로 규칙 집합을 지정합니다. 시작 상태를 정의하고, 규칙의 일반성, 가정, 추가 작업의 양을 고려해야 합니다.

제어 전략:

효과적인 제어 계획은 움직임과 체계성을 필요로 합니다. 예를 들어, 게임 소프트웨어에서는 게임 말이 보드를 가로질러 이동해야 하며, 주전자를 계속 채우고 비우는 것은 비효율적입니다. 체계적인 검색 방법을 사용해야 합니다.

1.6 단조로운 학습과 비단조로운 학습

단조로운 학습(Monotonic Learning):
에이전트가 새로운 정보를 획득하더라도 기존에 알고 있는 정보와 상충되지 않을 때 단조로운 학습이라고 합니다. 예를 들어, 어떤 문장을 그에 상응하는 부정문으로 대체하지 않는 경우가 이에 해당합니다. 결과적으로, 지식 기반은 새로운 데이터가 추가되는 반복적인 방식으로만 확장됩니다. 단조로운 학습의 이점은 다음과 같습니다.

- 진실을 유지하기 위한 간소화된 접근 방식

- 다양한 교육 방법 중 선택 가능

비단조로운 학습(Non-monotonic Learning):

비단조로운 학습 과정에서 에이전트는 기존 지식과 상충되는 새로운 정보를 습득할 수 있습니다. 적절한 근거가 있다면 기존 정보를 새로운 정보로 대체할 수 있습니다. 비단조로운 학습의 이점은 다음과 같습니다:

- 실제 도메인과의 관련성이 높음

- 정보 흡수 순서에 대한 유연성

정보의 연속성(Continuity of Information):

아키텍처에 지속적인 지식 기반이 필요한 경우, 선택된 학습 접근 방식은 반복적이어야 합니다.

1.7 문제의 특성

문제를 해결하는 데 가장 효과적인 전략을 선택하기 위해서
는 문제의 다양한 차원에 따라 분석하는 것이 중요합니다. 문
제의 주요 특성은 다음과 같습니다:

● 문제를 작은 문제들로 나눌 수 있는가?

● 솔루션과 관련된 단계를 건너뛰거나 취소할 수 있는가?

● 문제의 모든 사례를 예측할 수 있는가?

● 다른 잠재적 솔루션과 비교하지 않고도 좋은 해답을 식별
할 수 있는가?

● 원하는 솔루션이 세계 상태인가, 아니면 세계 상태로 가는
길인가?

● 문제 해결을 위해 많은 양의 정보가 필요한가?

● 문제 해결을 위해 인간과 기계의 협업이 필요한가?

이러한 특성들을 종합하여 '7가지 문제 특성'이라고 부르며, 해결책을 찾기 전에 이를 고려해야 합니다.

1.8 생산 시스템과 그 특성

생산 시스템(Production System):
생산 시스템은 인간의 문제 해결 및 검색 알고리즘을 모델링하는 데 사용되는 계산 모델입니다. 이는 검색 알고리즘을 구성하는 데에도 사용됩니다. 생산 시스템은 문제 해결 방법에 대한 지식을 '규칙'이라는 작은 단위로 컴파일할 수 있게 해줍니다. 규칙은 상황을 인식하는 부분과 조치를 취하는 부분으로 구성됩니다.

규칙은 시나리오와 조치의 쌍으로 구성되며, 왼쪽에는 주의해야 할 사항들의 목록이, 오른쪽에는 상황에 대응하여 취해야 할 조치들의 목록이 포함됩니다. 연역적 시스템에서는 규칙이 활성화되는 상황이 정의된 사실들의 조합으로 구성됩니다. 이러한 규칙은 '전제-결론 쌍' 또는 '상황-조치 쌍'으로도 불립니다.

생산 시스템의 주요 특성은 다음과 같습니다.

● 표현력과 직관성: '이런 상황에서는 이렇게 해야 한다'와 같은 규칙을 통해 적절한 조치를 알려줍니다.

● 모듈성: 지식을 여러 부분으로 나누어 사용할 수 있습니다.

● 적응성: 변화하는 상황에 적응할 수 있는 규칙의 능력을 가집니다.

● 상당한 양의 지식 필요: 지식 기반에는 필터링되지 않은 정보가 포함됩니다.

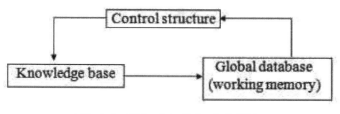

그림 1.1 생산 시스템의 아키텍처

1.9 생산 시스템의 단점

생산 시스템의 단점은 다음에 제시하였습니다.

● 불투명성: 여러 규칙이 혼재되어 있어 우선순위가 명확하지 않을 수 있습니다.

● 비효율성: 많은 규칙이 동시에 활성화될 수 있으며, 이는 제어 기법을 통해 완화될 수 있습니다.

● 학습 부재: 문제 해결에 대한 해결책을 기록하지 않아 학습 기회가 없습니다.

- 갈등 해결 방법: 규칙에는 분쟁 해결 절차가 포함되어서는 안됩니다.

1.10 다양한 유형의 문제와 그 해결 방법

정의:

특정 저그가 제공되며, 모든 저그는 보정되지 않은 품질을 가져야 합니다. 최소한 하나의 주전자는 물이 가득 차 있어야 합니다. 이를 '물 주전자 문제'라고 합니다.

절차:

예를 들어, 8.5리터 용량의 보정되지 않은 A, B, C 주전자가 있고, A에는 8리터의 물이 들어 있다고 가정합니다. 목표는 8리터를 두 개의 동일한 부분으로 나누는 것입니다.

해결 방법:

주전자 A에 8리터의 물이 있고, B와 C는 비어 있다고 가정합니다. 이것이 시작 상태입니다. 목표는 초기 상태에서 최종 상태로 이동하면서 원하는 변화를 가져올 생산 규칙의 순서를 결정하는 것입니다. 솔루션 공간은 세 변수(A, B, C)의 정렬된 쌍으로 볼 수 있으며, 각 변수는 각각의 주전자를 나타냅니다.

1.11 다양한 유형의 문제와 그 해결 방법

정의:

특정 문제 상황에서, 모든 요소는 보정되지 않은 상태(즉, 계량 표시가 없는 상태)로 제공됩니다. 예를 들어, 최소한 하나의 주전자는 물로 가득 차 있어야 합니다. 이러한 상황에서 총 물의 양을 여러 주전자로 분배하는 절차를 '물 주전자 문제'라고 할 수 있습니다.

절차:

예를 들어, 각각 8.5리터 용량의 보정되지 않은 A, B, C 세 개의 주전자가 있고, A에는 8리터의 물이 들어 있다고 가정합니다. 목표는 8리터를 두 개의 동일한 부분으로 나누는 것입니다.

해결 방법:

문제 시작 시, 주전자 A에는 8리터의 물이 있고, B와 C는 비어 있습니다. 이것이 시작 상태입니다. 목표는 초기 상태에서 최종 상태로 전환하는 데 필요한 생산 규칙의 순서를 결정하는 것입니다. 이 문제의 솔루션 공간은 세 변수(A, B, C)의 정렬된 쌍으로 구성됩니다.

1.12 선교사 및 카니발 문제

정의:

선교사와 카니발 문제는 강변에 있는 선교사와 카니발이 강을 건너야 하는 상황을 다룹니다. 강을 건널 수 있는 배는 한

척뿐이며, 배에는 두 사람만 탈 수 있습니다. 이 문제는 선교사와 카니발이 어떻게 강을 건널 수 있는지에 대한 해결책을 찾는 것입니다.

절차:

예를 들어, 뱃사공, 풀, 호랑이, 염소가 모두 강 왼쪽에 있고, 모두 강을 건너고 싶어 합니다. 한 번에 두 개 이상의 부품을 운반할 수 있는 배만이 사용 가능합니다. 강을 안전하게 건너기 위한 전제 조건은 호랑이와 염소 중 한 마리가 풀을 뜯고 있을 때 다른 한 마리가 강 반대편에 있어야 한다는 것입니다.

해결 방법:

강을 건너는 배를 이용하여 강 한쪽에서 다른 쪽으로 이동할 수 있도록 이러한 조건을 만족하는 순서를 찾는 것이 목표입니다.

1.13 체스 문제

정의:

체스 문제는 표준 체스 규칙에 따라 진행됩니다. 체스 퍼즐을 해결하는 첫 단계는 체스판을 기본 위치로 설정하는 것입니다. 최종 위치는 두 개 이상일 수 있으며, 각기 다른 보드 레이아웃은 게임의 다양한 단계를 나타냅니다.

절차:

예를 들어, 3x3 체스 보드에 1부터 9까지의 숫자가 표시된다고 가정합니다. 이 문제는 일반적인 이동 연산자를 만들지 않고 가능한 여러 가지 이동을 나열하는 것으로 해결합니다. 술어 미적분을 사용하여 보드에서 할 수 있는 합법적인 이동을 지정합니다.

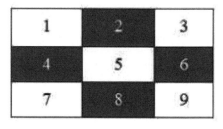

그림 1.2 3x3 체스 보드

1.14 소개

지능은 인간이 보여주는 형태로 복잡하고 당혹스러운 것 중 하나입니다. 지능적 행동의 주요 특징은 지식에 의해 조절되는 방식입니다. 우리는 세상에 대해 알고 있는 것에 따라 무엇을 해야 할지 판단하고, 이를 쉽고 직관적으로 수행합니다. 정보를 활용하는 일상은 너무나 흔해서, 정보의 부재를 온전히 느낄 때만 그 중요성을 인식합니다.

비지성적인 행동은 사람이 알고 있는 것을 활용하지 못했다는 것을 의미합니다. 예를 들어, 차량의 가스 탱크에 가스가 남아 있는지 확인하기 위해 불이 켜진 성냥을 사용하는 경우,

이는 이미 가지고 있는 정보를 효과적으로 활용하지 못했다는 것을 나타냅니다.

인공지능(AI)은 컴퓨터 기술을 사용하여 수행되는 지능적인 행동에 대한 연구입니다. 지식 표현 및 추론은 에이전트가 어떤 조치를 취할지 결정하기 위해 보유한 정보를 어떻게 활용하는지 조사하는 AI의 하위 분야입니다. 인지 컴퓨팅은 사고를 계산으로 세분화할 수 있는 과정으로서의 연구입니다. 이 책은 해당 분야에 대한 입문서로, 상징적 구조와 계산 프로세스를 설명합니다.

이 장은 책에 대한 입문서 역할을 하며, 지식, 표현, 추론 등과 같은 주요 관심사에 대해 답변하려고 노력합니다. 이러한 문제는 철학적 관심사이며, 철학적 소양을 갖춘 개인이 연구해야 할 어려운 문제입니다. 그러나 이 장의 목적은 이러한 문제에 대한 자세한 논의보다는 AI와 생각할 수 있는 기계의 가능성과 관련된 주요 이슈를 살펴보는 데 있습니다.

1.15 지식, **표현**, 추론

지식:

지식이란 우리 각자가 정확히 알고 있는 것은 무엇일까요? 이 질문은 고대 그리스 시대부터 철학자들이 논의해 온 주제이며, 아직도 완전히 해결되지 않았습니다. 지식에 대한 일반적인 개념을 이해하기 위해서는, 개인이 어떻게 지식을 논의하는지 관찰하는 것이 도움이 됩니다. 예를 들어, "John은..." 이라는 문장을 사용할 때, 우리는 이를 간단한 선언적 문장으로 채웁니다. 예를 들면 "John은 Mary가 파티에 참석할 것이라는 것을 알고 있다." 또는 "John은 Abraham Lincoln이 암살당했다는 것을 알고 있다."와 같은 문장입니다. 이러한 문장들은 지식이 특정 인물과 명제 사이의 관계라는 관점을 지지합니다.

명제:

명제는 "Mary가 파티에 올 것이다."와 같이 평범한 선언적 문장으로 표현되는 개념입니다. 명제는 참이거나 거짓일 수 있으며, 이러한 특성은 명제를 다른 유형의 진술과 구별합니다. "John은 p를 안다"라는 문구는 "John은 p가 참이라는 것을 안다"로 대체될 수 있으며, 이는 John이 특정 방식으로 세계를 인식하고 있다는 것을 의미합니다.

표현:

"John은 Maria가 축하 행사에 오기를 바란다."와 같은 문장도 비슷한 방식으로 해석될 수 있습니다. 이러한 명제적 태도는 "알다", "희망하다", "후회하다", "두려워하다", "의심하다"와 같은 동사를 사용하여 표현됩니다. 이러한 태도는 개인과 명제 간의 상호 작용의 결과입니다. 예를 들어, "John은 Maria가 파티에 참석하기를 바란다면 세상이 한 방향이 아니라 다른 방향이기를 바란다"는 것을 의미합니다.

추론:

"John은 피아노를 칠 줄 안다"나 "John은 Bill을 잘 안다"와 같은 진술은 재능이나 심오한 지식을 나타냅니다. 이러한 진술에는 명제적 내용이 명확하지 않을 수 있습니다. 반면, "John은 p를 알고 있다"와 "John은 p에 대한 의견을 가지고 있다" 사이에는 명백한 관계가 있습니다. 이는 John이 세상에 대한 특정한 판단을 가지고 있음을 나타냅니다.

이러한 태도는 확실성의 정도에 따라 분류될 수 있으며, 모두 John이 세상을 특정한 방식으로 보고 있다는 기본 개념을 공유합니다. 이러한 개념은 지식, 표현, 추론에 대한 우리의 논의에 중요합니다.

표상(Representation):

표상이라는 개념은 지식만큼이나 철학적 관점에서 중요한 개념입니다. 표상은 두 개의 서로 다른 영역 간의 연결을 의미합니다, 여기서 첫 번째 영역(표상자)이 두 번째 영역을 대표하거나 대신합니다. 예를 들어, 간판에 그려진 밀크셰이크와

햄버거 그림은 보이지 않는 패스트푸드점을 대표하고, 원 그림에 더하기 기호는 여성을 상징하는 더 추상적인 개념을 나타냅니다. 선출직 공직자는 유권자를 대표할 수도 있습니다.

공식 기호의 중요성:

특히 중요한 것은 공식 기호, 즉 특정 알파벳에서 선택된 문자 또는 문자 모음입니다. 예를 들어, 숫자 '7'과 문자 집합 'VII'는 모두 숫자 7을 나타내며, 다른 문맥에서 'sept'와 'shichi'라는 단어도 같은 의미를 가집니다. 일반적으로 기호를 다루는 것이 기호가 나타내는 실제 사물을 다루는 것보다 간단합니다. '사랑'이나 '진리'와 같은 단어는 추상적인 개념을 나타내지만, 특정 맥락에서는 'John'이나 'Truth'와 같은 용어가 더 구체적인 것을 지칭할 수 있습니다.

명제의 표현:

공식 기호의 조합이 명제를 나타내는 상황은 특히 중요합니다. 예를 들어, "John은 Maria를 사랑한다"는 문장은 John이 Maria를 사랑한다는 주장을 의미합니다. 이 문장은 영어에서

연상되는 진술과 같이 간단하고 이해하기 쉬운 구문을 가지고 있습니다.

추론:

추론은 참으로 여겨지는 일련의 신념을 나타내는 기호를 조작하여 새로운 명제를 표현하는 체계적인 과정입니다. 이 과정에서 기호가 나타내는 명제보다 접근하기 쉬운 점을 활용합니다. 예를 들어, "John loves Mary"와 "Mary is coming to the party"라는 문장으로 시작하여 "John이 사랑하는 사람이 파티에 온다"라는 결론에 도달할 수 있습니다. 이러한 종류의 추론을 논리적 추론이라고 부릅니다.

1.16 지식 표현과 추론의 중요성

인공지능 시스템에서의 지식 필요성:

인공지능 시스템에 지식이 필요한 이유는 '신념', '욕구', '목표', '의도', '희망' 등의 용어를 사용하여 복잡한 시스템의 동작을 설명하는 데 도움이 될 수 있기 때문입니다. 예를 들어,

체스 게임에서 체스를 두는 고급 컴퓨터 프로그램과 대결할 때, 프로그램의 행동을 이해하는 데는 "여왕이 취약하다고 느꼈지만 여전히 루크를 공격하고 싶었기 때문에 이런 식으로 움직였다"와 같은 의도적인 자세가 도움이 될 수 있습니다.

상징적 표현의 역할:

상징적 표현은 시스템이 특정 방식으로 작동하도록 프로그래밍된 이유와 관련이 있습니다. 지식 표현 가설에 따르면, 모든 지능형 프로세스는 외부 관찰자가 전체 프로세스가 보여주는 지식에 대한 명제적 설명으로 인식하는 구조적 요소로 구성됩니다. 이러한 상징적 표현은 시스템이 특정 행동을 유발하는 데 필수적인 역할을 합니다.

지식 기반 시스템과 지식 베이스:

지식 기반 시스템(Knowledge-Based Systems)은 이러한 상징적 표현을 포함하는 시스템으로, 상응하는 상징적 표현을 지식 베이스(Knowledge Base, KB)라고 부릅니다. 이러한 시스템은 지식이 상징적으로 표현되는 방식을 개발하는 것을 목표로 합니다.

1.16.1 지식 기반 시스템

지식 기반 시스템의 개념:

지식 기반 시스템은 다양한 정보를 처리하고 이를 적절한 상황에 적용할 수 있는 능력을 가진 시스템입니다. 예를 들어, '색깔(눈, 흰색)'과 같은 표현은 시스템이 눈의 적절한 색을 인식하고 출력하는 데 사용됩니다. 이러한 표현은 시스템 내에서 정보를 상징적으로 나타내는 방식으로, 시스템이 특정 상황에서 올바른 반응을 할 수 있도록 합니다.

지식 표현의 중요성:

지식 표현의 핵심은 시스템이 상징적 구조를 통해 정보를 처리하고 이를 바탕으로 행동을 결정한다는 것입니다. 이는 시스템이 지식을 기반으로 추론하고 결정을 내릴 수 있음을 의미합니다. 예를 들어, PROLOG와 같은 논리 형식주의를 사용하는 시스템은 지식을 상징적으로 표현하고 이를 바탕으로 추론을 수행합니다.

지식 기반 시스템의 응용:

지식 기반 시스템은 전문가 시스템, 언어 이해, 계획, 진단 및 학습 등 다양한 분야에서 활용됩니다. 이러한 시스템은 특정 정보를 명시적으로 표현하고 이를 바탕으로 복잡한 작업을 수행할 수 있습니다.

연결주의와의 대비:

연결주의 접근 방식은 지식 표현 가설에 도전을 제시합니다. 이 접근 방식은 인공 뉴런의 네트워크를 사용하여 계산을 수행하며, 상징적 표현이나 추론을 사용하지 않는 것을 목표로 합니다.

지식 표현의 필요성:

지식 기반 시스템의 필요성은 다양한 개방형 작업을 처리하는 데 있어서, 명시적으로 표현된 지식에 따라 행동하는 것이 유리할 수 있기 때문입니다. 예를 들어, 책을 읽을 때 우리는 새로운 정보를 선언적 형태로 동화시키고, 이를 다양한 상황에서 활용할 수 있습니다. 이는 지식 기반 전략의 고전적인 모델을 보여줍니다.

지식 기반 시스템의 한계와 도전:

지식 기반 시스템은 특정 상황에서 유용하지만, 모든 상황에 적합한 것은 아닙니다. 예를 들어, 자전거 타기나 피아노 연주와 같은 기술은 명시적인 추론보다는 직관적인 반응에 의존합니다. 또한, 지식 기반 시스템은 인간의 지능을 완전히 복제하기 어렵다는 점에서 한계를 가집니다. 이러한 한계에도 불구하고, 지식 기반 시스템은 복잡한 문제 해결과 의사 결정 과정에서 중요한 역할을 합니다. 이러한 시스템은 다양한 정보를 통합하고, 새로운 상황에 적응하며, 이를 바탕으로 효과적인 결정을 내릴 수 있는 능력을 갖추고 있습니다.

시스템 설계의 관점에서 본 지식 기반 접근 방식의 특성:

● 새로운 책임을 추가하고 이전 경험에 의존할 수 있습니다. 예를 들어, '카나리아는 노란색이다'와 같은 정보를 추가하면, 이 정보가 필요한 모든 루틴에 자동으로 전파됩니다.

● 시스템이 가지고 있는 잘못된 아이디어를 찾아 수정할 수 있습니다. 예를 들어, 하늘의 색을 지정하는 문구를 변경하면, 색상 정보를 사용하는 모든 절차가 자동으로 조정됩니다.

● 시스템의 작동을 명확하고 설득력 있게 설명하고 방어할 수 있습니다. 예를 들어, 잔디가 초록색이라고 말한 이유를 명확히 설명할 수 있습니다.

인지적 침투성:

인지적 침투성은 우리가 믿는 것에 따라 행동이 좌우되는 인간의 능력을 설명합니다. 예를 들어, 화재 경보에 대한 반응은 우리의 인식에 따라 달라질 수 있습니다. 이는 지식 기반 시스템이 환경에 대한 인식에 따라 행동을 조정할 수 있음을 시사합니다.

추론의 중요성:

지식 기반 시스템에서 추론은 시스템이 세계에 대해 믿는 바에 따라 행동이 달라지기를 원하는 것과 관련이 있습니다. 예를 들어, 잔디의 색이 초록색이라는 개념을 나타내는 문장이 없었지만, 시스템이 이 사실을 인식하고 반영할 수 있어야 합니다. KB에 포함될 것으로 예상되는 대부분의 정보는 매우 일반적인 성격이며 특정 시나리오에 대한 추가 적용이 필요합니다.

추론의 복잡성:

추론 과정은 논리적으로 불완전하거나 불건전할 수 있습니다. 또한, 어떤 추론이 불건전하거나 부적절하다고 판단할 수 있는 개념적인 이유도 있습니다. 예를 들어, KB에 새에 대한 정보가 저장되어 있을 가능성은 있지만, 그 정보가 특정 새가 날 수 있다는 것을 암시할 가능성은 거의 없습니다. 이러한 상황에서 논리적 관점에서 포괄적인 추론을 하는 것은 모든 진술을 믿게 되는 결과를 초래할 수 있으므로 부적절할 수 있습니다.

결론:

지식 기반 시스템에서 추론을 시작하는 가장 단순한 답은 추론에 대한 생각을 시작하기에 가장 좋은 곳입니다. 가장 단순한 답이 가장 많은 성장의 여지를 허용하기 때문입니다. 지식 기반 시스템에서 추론을 개념적으로 건전하고 범위가 포괄적인 추론과 연결하는 것은 오류일 수 있지만, 여기서부터 시작하는 것이 적절한 시작점입니다.

1.17 논리의 역할

논리는 언어, 진리 조건, 추론 규칙을 포함하는 수반 관계에 대한 연구의 핵심입니다. 이는 논리가 지식 표현과 추론에 중요한 이유를 설명합니다. 형식적 기호 논리학의 도구와 전략은 지식 표현에 필수적입니다. 특히, 일차 논리(First-Order Logic, FOL)의 언어는 지식 표현에 널리 사용됩니다. 이 언어는 원래 수학적 추론을 형식화하기 위해 고틀롭 프레게에 의해 개발되었으나, 현재는 인공지능 커뮤니티에서 지식 표현의 목적으로 활용되고 있습니다.

FOL은 프로세스의 시작에 불과합니다. 우리는 FOL의 부분 집합과 상위 집합을 포함하여 다양한 지식 표현 언어를 조사할 것입니다. 특정 표현 언어는 논리와의 관계를 넘어서는 추론 방식을 암시할 수 있습니다.

앨런 뉴웰은 '지식 수준'이라는 용어를 사용하여 지식 기반 시스템이 이해될 수 있는 두 가지 다른 수준을 설명했습니다.

지식 수준에서는 표현 언어의 표현적 적절성과 수반 연결의 특징에 초점을 맞춥니다. 기호 수준에서는 계산 아키텍처와 추론 프로세스 및 데이터 구조의 특성을 조사합니다.

지식 기반 시스템에 대한 지식 수준 분석을 수행하기 위해 형식적 기호 논리가 필요합니다. 다음 장에서는 일차 논리의 언어를 사용하여 이러한 분석을 시작할 것입니다.

2장. 일차 논리의 언어

2.1 소개

사람이 언어를 '소유'한다는 것은 정확히 무엇을 의미할까요? 언어를 '소유'한다는 것은 어휘를 갖는 것 이상을 의미합니다. 중요한 세 가지 요소는 다음과 같습니다:

1. 구문: 구문은 어떤 기호의 집합을 어떻게 함께 배치해야 올바르게 구성된 것으로 간주할 수 있는지 정의해야 합니다. "우리 엄마가 사랑하는 고양이"라는 단어는잘 구성된 명사구의 예이지만, " 엄마가 고양이 우리 사랑하는"라는 단어는 그렇지 않습니다. 문장은 아이디어와 개념을 실제로 전달하는 것이기 때문에 지식 표현을 위해서는 잘 구성된 문자열 중 어떤 것이 언어의 문장을 구성하는지 잘 이해하는 것이 필수적입니다.

2. 의미론: 의미론과 관련하여 잘 구성된 구문이 무엇을 의미하는지 정확히 정의할 필요가 있습니다. "딱딱한 삼다수

휴일"과 같이 잘 구성된 문장이 의미적으로는 잘못 되었을 가능성이 있습니다. 따라서, 문장을 구성할 때는 세상에 대해 표현하고자 하는 개념(의미)을 명확하게 이해하는 것이 중요합니다.

3. 화용(실용성): 이 영역에서 진전을 이루기 위해서는 언어의 의미 있는 문구가 어떻게 사용되어야 하는지 설명해야 합니다. 예를 들어, "누가 너를 지속적으로 노려보고 있어"라는 문구는 특정 상황에서는 조심하라는 경고로, 다른 상황에서는 상황의 세부 사항에 따라 단순히 쳐다본다는 의미로 사용될 수 있습니다. 지식 표현의 맥락에서 이는 표현 언어를 구성하는 의미 있는 문구를 지식창고에 통합하는 방식을 말하며, 이를 통해 추론이 도출됩니다.

이 세 가지 특성은 대부분 지식을 설명하는 데 사용되는 선언적 언어에 적용됩니다. 다른 언어에는 단어가 발음되는 방식(구어 언어의 경우)이나 화자에게 기대되는 행동(명령형 언어의 경우) 등 이 기사에서 다루지 않는 특성이 있습니다.

지금부터는 FOL에 대한 설명에 집중하겠습니다.

2.2 심볼

FOL에는 논리적 기호와 비논리적 기호의 두 가지 범주가 있습니다. 논리적 기호는 언어에서 일관된 방식으로 사용되며 미리 정해진 의미를 가집니다. 이에는 구두점, 접속사, 변수가 포함됩니다. 비논리적 기호는 문맥에 따라 의미나 용도가 달라지며, 함수 기호와 술어 기호로 구분됩니다.

비논리적 기호는 아리티를 가지며, 이는 기호가 가져야 하는 최소 '인수'의 수를 나타냅니다. 함수 기호와 술어 기호는 각각 상수와 명제 기호로 사용될 수 있습니다.

FOL의 법적 구문 표현에는 용어와 수식이라는 두 가지 유형이 있습니다. 용어는 세상에 이미 존재하는 것을 지칭하는 데 사용되며, 수식은 해당 개체에 대한 진술을 하는 데 사용됩니다.

원자 공식은 더 간단한 추가 공식이 포함되지 않은 공식을 의미합니다. FOL에서는 괄호와 구두점을 자유롭게 사용할 수 있으며, 특정 규칙에 따라 괄호의 수를 최소화할 수 있습니다.

FOL의 명제 하위 집합은 용어나 수량화자 없이 명제 기호만 사용하는 언어를 의미합니다.

2.3 의미론 (Semantics)

2.3.1 의미론의 목표

2.1절에서 언급했듯이, 의미론의 핵심 목표는 언어 내 개별 구문의 의미를 해석하는 것입니다. 이 과정은 다음과 같은 여러 요소를 포함합니다.

● FOL (일차 논리, First-Order Logic) 문장의 의미 해석: FOL 문장이 우주에 대해 제시하는 구체적인 주장을 상세히 설명합니다. 이는 우리가 해당 믿음의 의미를 이해할 수 있도록 돕습니다.

2.3.2 의미론의 어려움

비논리적 기호의 다양한 해석: FOL 내의 특정 구절이 의미하는 바를 명확히 설명하는 것은 어렵습니다. 이는 비논리적 기호가 애플리케이션에 따라 다양하게 해석될 수 있기 때문입니다. 예를 들어, '존(John)'이라는 이름은 다양한 사람을 지칭할 수 있으며, '행복(Happiness)'이라는 개념에 대한 정의는 일관되지 않을 수 있습니다.

2.3.3 합의 가능한 내용

비논리적 기호의 일반적인 해석: "해피(존)"이라는 문구는 '존'이라는 사람이 '해피'라는 속성을 가지고 있다는 것을 의미합니다. 이는 상황에 따라 달라지는 비논리적 기호의 해석에 기반합니다. 그러나 이러한 해석은 복잡해질 수 있으며, 정확한 규정이 어려울 수 있습니다.

2.3.4 비논리적 기호의 추가 예시

비논리적 기호의 다양성: '민주주의 국가(Democratic Country)', '보다 나은 인성 판단자(Better Character Judge)', '선호하는 아이스크림 맛(Favorite Ice Cream Flavor)', '물웅덩이27(Puddle27)' 등은 모두 비논리적 용어의 예시입니다. FOL의 의미론적 정의는 이러한 문장의 의미에 대한 정확한 정보를 제공하지 않습니다.

2.3.5 해석의 예시

세상에 대한 단순화된 가정: 여기서는 다음과 같은 가정을 통해 세상을 단순화하여 설명합니다.

- 세상에는 다양한 객체가 존재합니다.

- 일부 객체는 특정 술어(Predicate) P를 충족시킬 수 있습니다. P의 해석은 해당 객체가 특정 속성을 가지고 있는지 여부를 결정합니다.

- 세상에는 의미가 없는 것들도 존재합니다.

2.3.6 해석의 정의

- **FOL의 해석:** FOL에서는 'D'와 'I'라는 쌍을 통해 해석이 이루어집니다. 'D'는 비어 있지 않은 객체 컬렉션을 의미하며, 'I'는 D에서 해석 영역으로의 매핑을 의미합니다. 이는 D에 대한 함수 및 관계에 해당하는 비논리적 기호를 포함합니다.

2.3.7 술어와 함수 기호의 해석

- **술어 기호의 해석:** 술어 기호 P가 n-ary일 때, I[P]는 D의 n-ary 관계를 나타냅니다. 예를 들어, 'Dog'라는 단항 술어 기호는 개들의 집합을 나타낼 수 있습니다.

- **함수 기호의 해석:** 함수 기호 f에 대한 I[f]는 D에 대한 n항 함수를 나타냅니다. 예를 들어, I[bestFriend]는 사람을 그들의 가장 친한 친구에게 매핑하는 함수일 수 있습니다.

-

2.3.8 명제 기호의 해석

● **명제 기호의 처리**: 아리티 0의 술어, 즉 명제 기호는 0(거짓) 또는 1(참)으로 매핑됩니다. 이를 통해 FOL의 명제 하위 집합을 해석할 수 있습니다.

2.3.2 표기법 (Notation)

해석의 기본 구조: 해석은 'D'(도메인, Domain)와 'I'(해석 함수, Interpretation Function)로 구성됩니다. 이를 통해 FOL(일차 논리, First-Order Logic)의 변수가 없는 조건이나 항이 D의 어떤 요소를 의미하는지 결정할 수 있습니다.

함수와 변수의 처리: 예를 들어, "bestFriend(johnSmith)"라는 항을 해석하기 위해 먼저 'I'를 사용하여 "bestFriend" 함수를 찾고, 이를 "johnSmith"에 해당하는 D의 요소에 적용하여 새로운 요소를 생성합니다. 변수가 포함된 용어를 처리하기 위해서는 D에 대한 변수 할당이 필요합니다. 이는 FOL의 변수와 D의 구성 요소 간의 매핑으로 생각할 수 있습니다.

2.3.2.2 단어의 표기

단어의 표기 규칙: 단어 't'의 표기는 주어진 변수의 해석과 할당에 따라 결정됩니다. 이 규칙은 FOL의 구조와 밀접하게 연결되어 있습니다.

2.3.3 만족도와 모델 (Satisfiability and Models)

참과 거짓의 결정: 주어진 해석 'D, I'에 따라 FOL의 문장이 참인지 거짓인지를 결정할 수 있습니다. 예를 들어, "Dog(bestFriend(johnSmith))"라는 문장은 'I'를 사용하여 "Dog"로 표시된 D의 부분 집합을 찾고, "bestFriend(johnSmith)"로 식별되는 항목이 해당 집합의 일부인 경우에만 참입니다.

변수 할당의 중요성: 자유 변수가 포함된 수식을 처리할 때는 변수 할당을 사용해야 합니다. 이는 FOL의 구조와 일관성을 유지하는 데 필수적입니다.

좀 더 기술적인 의미에서 해석이 주어지고 변수를 할당할 때 이 규칙에 따라 수식이 |=로 표현되어 충족됨을 선언할 수 있습니다. 이 진술은 해석이 주어지고 변수가 할당될 때 이루어집니다.

추가 조사 없이 t1,..., tn이 모두 항이고, P가 아리티 n의 술어이며, and가 수식이고, x가 변수라고 가정합니다.

$$\mathfrak{I},\mu \vDash P(t_1,...,t_n) \; iff \; (d_1,...,d_n) \in P, where \, P = I[P],$$
$$and \;\; d_i = \parallel t_i \parallel_{\mathfrak{I},\mu};$$
$$\mathfrak{I},\mu \vDash t_1 = t_2 \;\; iff \;\; \parallel t_1 \parallel_{\mathfrak{I},\mu} and \parallel t_2 \parallel_{\mathfrak{I},\mu}$$
$$are \; the \; same \; element \; of \; D;$$
$$\mathfrak{I},\mu \vDash -\alpha \, iff \; it \; is \; not \; the \; case \; that \, \mathfrak{I},\mu \vDash \alpha;$$
$$\mathfrak{I},\mu \vDash (\alpha \wedge \beta) \; iff \; \mathfrak{I},\mu \vDash \alpha \;\; and \;\; \mathfrak{I},\mu \vDash \beta;$$
$$\mathfrak{I},\mu \vDash (\alpha \vee \beta) \; iff \; \mathfrak{I},\mu \vDash \alpha \;\; or \;\; \mathfrak{I},\mu \vDash \beta \, (or \; both);$$
$$\mathfrak{I},\mu \vDash \exists x.a \; iff \; \mathfrak{I},\mu' \vDash a, for \; some \; variable \; assignment$$
$$\mu' \; that \; differs \; from \; \mu \; on \; at \; most \; x;$$
$$\mathfrak{I},\mu \vDash \forall x.a \; iff \; \mathfrak{I},\mu' \vDash a, for \; every \; variable \; assignment$$
$$\mu' \; that \; differs \; from \; \mu \; on \; at \; most \; x.$$

공식이 구의 형태로 명시되어 있기 때문에 이행이 지정된 변수 할당에 의존하지 않는다는 것을 보여주는 것은 간단합니다(문장은 공식을 포함할 수 없기 때문에 자유 변수가 없다는 것을 여러분들은 이해해야 합니다). 이 경우 "="를 쓰고 방금

말한 내용이 해석에 따라 참이거나 다른 상황에서는 참이 아님을 선언합니다. FOL의 명제 부분 집합을 다룰 때는 I[] = 1 또는 I[] = 0을 쓰는 것이 유리할 수 있습니다. |=인지 아닌지에 따라 이러한 값은 명제의 진실을 반영하기 때문입니다. 즉, 이 특정 값 쌍은 모두 동일한 실체를 나타냅니다. 이 외에도 |= S와 같은 표기법을 사용하여 S에 포함된 모든 문구가 옳다는 것을 보여줄 것입니다. 여기서 S는 문장의 모음입니다. 우리는 이를 S의 논리적 모델이라고 합니다.

2.4 화용론 (Pragmatics)

의미론적 해석의 적용: 의미론적 해석 규칙은 FOL의 모든 단어 또는 수식의 의미를 정확하게 이해하는 방법을 제공합니다. 이는 특정 도메인에 적용되는 비논리적 기호의 해석을 포함합니다.

화용론의 중요성: 화용론은 언어를 사용하여 정보를 얼마나 정확하게 전달할 수 있는지, 그리고 지식 기반 시스템이 '민주주의 국가'나 '개'와 같은 개념에 대해 어떻게 추론할 수

있는지를 탐구합니다.

2.4.1 논리적 결과 (Logical Consequence)

논리적 결과의 정의: 논리적 결과는 FOL 문장 간의 의존성을 설명합니다. 이는 비논리적 기호의 의미와는 독립적입니다. 예를 들어, 한 문장이 참이라면, 그것에 의존하는 다른 문장도 참이어야 합니다. 이는 논리적 결과의 핵심 개념입니다.

예를 들어, FOL의 두 문장을 let과 be라고 하고 "( )"라는 문장을 예로 들어 보겠습니다. 이 문장이 어떤 해석이든 참이라고 가정해 봅시다. 앞서 설명한 원칙을 적용하면, 이 해석이 옳기 위해서는 이 해석도 참이어야 한다는 것을 알 수 있습니다. 이는 내부에 포함된 비논리적 기호를 어떻게 해석하느냐에 따라 달라지지 않습니다. 첫 번째 가설이 옳다면 두 번째 가설도 옳을 것입니다. 어떤 의미에서 진실은 진실이라는 사실로부터 추론됩니다. 이 특별한 경우, 우리는 이를 의 논리적 결과라고 부릅니다.

좀 더 구체적으로 설명하자면, S를 문장의 모음이고 임의의 문장이라고 생각해 봅시다. 우리는 이것이 S의 논리적 결과 또는 S가 논리적으로 함축하는 것이라고 주장하며, 이를 각 해석에 대해 만약 |= S라면 |=라고 표현합니다. 이를 S =라고 표기합니다.

다시 말해, S의 모든 단일 버전이 만족한다는 뜻입니다. 이를 한 가지 더 표현하면 |= S 가 되는 해석은 없다는 것을 언급하는 것입니다. 이 특정 시나리오에서는 집합 S를 만족하지 않는 상태라고 합니다.

우리가 |=로 표현하는 어떤 구문이 논리적으로 유효하다고 주장할 때, 그것은 그것이 빈 집합의 논리적 결과라는 것을 의미합니다. 이것은 방금 제시한 개념의 구체적인 예시입니다. 즉, 이 조건은 모든 해석에 대해 |= 방정식이 참인 경우에만, 또는 달리 말하면 어떤 식으로든 집합을 만족시킬 수 없는 경우에만 충족됩니다.

유효성이 수반성의 하위 유형일 뿐만 아니라 수반성이 유한한 집합에 적용될 때 유효성으로 환원된다는 것을 알아차리는 것은 그리 어렵지 않습니다: 만약 S = 1,..., n이라면, [(1 n)]이라는 문장이 참일 경우에만 S |=입니다. 이 구문이 거짓이면 S |= n이 됩니다.

2.4.2 지식 기반 시스템과 논리적 수반의 중요성

2.4.2.1 지식 기반 시스템의 역할

독립적 사고의 필요성: 지식 기반 시스템은 독립적으로 사고하고 추론할 수 있어야 합니다. 예를 들어, 시스템이 '피도(Fido)가 개(Dog)'라는 사실을 알고 있다면, '피도는 포유류(Mammal), 육식동물(Carnivore)' 등의 추가적인 추론을 자동으로 도출할 수 있어야 합니다.

비논리적 기호의 한계: 지식 기반 시스템은 비논리적 기호의 의미를 직접 이해할 수 없습니다. 이는 무한한 수의 실제 객체 집합을 처리하는 데 필요한 컴퓨터 시스템의 능력을 초과하기 때문입니다.

2.4.2.2 논리적 수반의 한계

논리적 수반의 제한: 2.3.3절의 규칙을 사용하여 의도된 해석에서 문장의 진실 또는 거짓을 평가하는 것은 불가능합니다. 이는 규칙이 특정 환경 내에서만 문장의 옳고 그름을 판단하기 위해 설계되었기 때문입니다.

논리적 수반의 역할: 지식 기반 시스템은 논리적으로 수반되는 문장이 참이라는 결론을 도출할 수 있습니다. 예를 들어, '개(피도)'가 참이라고 가정하면, 시스템은 이와 논리적으로 연결된 다른 문장들도 참일 것이라고 결론지을 수 있습니다.

2.4.2.3 논리적 수반을 넘어서

논리적 수반의 한계: 논리적 수반은 주어진 내용에 이미 함축된 문장을 찾는 데에는 유용하지만, 새로운 결론을 도출하는 데에는 한계가 있습니다. 예를 들어, '개(피도)'에서 '포유류(피도)'로의 결론은 논리적 수반만으로는 도달하기 어렵습

니다.

보다 풍부한 추론의 필요성: 우리가 원하는 것은 '개(피도)'에서 시작하여 '포유류(피도)'와 같은 보다 풍부한 결론으로 나아가는 시스템입니다. 이를 위해서는 비논리적 기호 간의 연결을 포함하는 문장 세트가 필요합니다.

2.4.3 지식 표현의 근본적인 아이디어

논리적 결과와 추론의 안전성: 논리적 결과를 따르는 추론은 위험이 없으며 논리적으로 확실한 결론에 도달할 수 있습니다. 다양한 문장 모음으로 시작하면, 수반되는 결론의 집합은 훨씬 더 풍부해지고, 의도된 해석에서 참인 문장 집합에 가까워집니다.

지식과 추론의 표현: 지식과 추론을 표현하는 데 있어서 이것이 전부이며, 다른 모든 것은 세부 사항으로 구성됩니다. 이는 의도된 해석에서 참인 문장 집합이 참 문장 집합이기 때문입니다.

2.5 명시적 믿음과 암묵적 믿음(Explicit and Implicit Beliefs)

1장에서는 전제로 제시되고 기초 역할을 하는 진술 그룹에 대해 논의했는데, 이는 수반조건을 계산할 때 지식 기초라고 부르는 것입니다.

블록 세계 시나리오: 그림 2.1은 '블록 세계(Block World)' 시나리오를 보여줍니다. 이 시나리오에서는 테이블 위에 세 가지 색상의 블록이 쌓여 있으며, 각 블록의 색상에 대한 정보가 제공됩니다.

FOL의 활용: FOL(일차 논리, First-Order Logic)을 사용하여 이 시나리오를 공식화할 수 있습니다. 이를 통해 블록들에 대한 명시적인 정보를 제공하고, 이를 바탕으로 추가적인 추론을 할 수 있습니다.

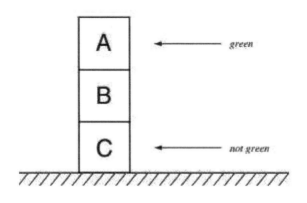

그림 2.1 세 개의 블록으로 구성된 타워

이 문제는 결정할 수 없습니다. 해결해야 할 문제는 녹색이 아닌 다른 블록 바로 위에 녹색 블록을 찾을 수 있는지 여부입니다. FOL을 사용하면 블록에 a, b, c라는 이름을 부여하고 술어 기호에 각각 "녹색"과 "켜짐"을 나타내는 값 G와 O를 지정하여 이 문제를 공식화할 수 있습니다. 이렇게 함으로써 문제를 공식화한다는 목표를 달성할 수 있습니다.

S에서 우리가 가진 증거는 다음과 같습니다:

$$\{O(a,b), O(b,c), G(a), -G(c)\}$$

이것은 매우 간단한 예시이지만, 특정 사실 집합에 어떤 정보가 잠재되어 있는지 결정하려면 때때로 더 미묘한 종류의 추론이 필요하다는 것을 알 수 있습니다. 사실, FOL에서 한 문구가 다른 문구의 논리적 결과인지 여부를 확인하는 작업은 대부분의 경우 해결 불가능하다는 것이 상식입니다. 어떤 것이 합법적인지 여부를 결정할 수 있는 자동화된 시스템이 없습니다. 따라서, 결과적으로는 모든 상황에서 문장이 수반되는지 여부를 알려줄 수 있는 자동화된 절차는 현재까지는 존재하지 않습니다.

2.5.2 지식 기반 시스템의 역할

지식 기반 시스템의 구축: 지식 기반 시스템(Knowledge-Based System, KB)을 구축하는 것은 지식 표현의 핵심입니다. 이 시스템은 명시적으로 제공된 정보를 바탕으로 추론을 수행합니다.

연역적 추론: KB의 수반 사항을 계산하는 과정은 연역적 추론(Deductive Reasoning)이라고 합니다. 이 과정은 KB가 주어진 문장과 동등한지 여부를 판단합니다.

2.6 지식 공학 (Knowledge Engineering)

여러분들이 지금까지 지식 표현의 기본 원칙을 이해하고, 초기 표현 언어를 결정했다면, 가능한 한 빨리 관심 있는 특정 KB를 추론할 수 있는 일련의 프로그램 구현을 시작하고 싶은 유혹을 느낄 수 있습니다. 하지만 이 계획을 진행하기 전에 먼저 고려해야 할 몇 가지 사항이 있습니다. 그럼에도 불구하고 분석 단계에 도달하기 전에 최종적으로 계산하고자 하는 것이 무엇인지, 또는 인공 에이전트가 계산하기를 원하는 것이 무엇인지 미리 계획하는 것이 필수적입니다.

지식 공학의 중요성: 지식 공학은 지식 표현의 기본 원칙을 개괄하고, 지식창고(Knowledge Base, KB)를 구축하는 방법을 제공합니다.

온톨로지 구축: 지식창고를 구축하기 전에, 온톨로지(Ontology)를 개발하는 것이 중요합니다. 온톨로지는 개체의 범주, 속성, 관계를 정의합니다.

2.7 어휘 (Vocabulary)

지식창고를 개발할 때는 지식창고의 도메인에 관한 사실 주
장의 기초가 되는 도메인 의존 술어와 함수를 수집하는 것부
터 시작하는 것이 좋습니다.

도메인 의존 술어와 함수: 지식창고를 개발할 때는 도메인에
관한 사실 주장의 기초가 되는 도메인 의존 술어(Predicate)
와 함수를 수집하는 것이 중요합니다.

인물, 장소, 객체의 식별: 인물, 장소, 객체 등을 식별하고,
이들에 대한 술어와 함수를 정의합니다. 이는 지식창고에서
중요한 역할을 합니다.

속성과 관계의 정의: 개체가 가질 수 있는 속성과 개체 간의
관계를 정의하는 것이 필요합니다. 이는 FOL에서 다양한 술
어와 함수를 통해 표현됩니다.

2.8 기본 사실

우리는 기본 용어를 정리했으므로 이제 우리가 살고 있는 세계의 핵심적인 현실을 드라마적으로 묘사할 차례입니다. 이러한 사실은 주로 원자적 문장(Atomic Sentences) 또는 그 부정의 형태로 표현됩니다. 예를 들어, 도메인 내 엔티티(예: 남자(John), 여자(Jane), 비즈니스(faultyInsuranceCompany), 물체(butcherknife1))에 적용되는 유형 술어(Type Predicates)를 통해 그 엔티티의 필수적인 특징들을 식별할 수 있습니다. 이러한 유형의 술어들은 세계의 기본적인 온톨로지(Ontology)를 정의하는 데 중요한 역할을 합니다.

다음 단계는 각 엔티티의 특성 목록을 만드는 것입니다. 이 과정은 이미 각 객체가 속하는 카테고리를 문서화한 후에 진행됩니다. 우리는 주어진 사실이나 가설에서 속성(및 관계)을 유추하는 데 관심이 있습니다. 이 속성들은 우리의 영역에 대한 논의에서 주요한 교환 매체가 될 것입니다. 예를 들어, 샘플 도메인의 관련 속성에 대한 주장으로는 Rich(john), HappilyMarried(jim), WorksFor(jim, fic),

Bloody(butcherknife1), ClosedForRepairs(marTDiner) 등이 있습니다.

이와 같은 간단한 정보는 본질적으로 데이터베이스가 됩니다. 이러한 정보는 관계형 테이블(Relational Tables)에 저장될 수 있습니다. 예를 들어, 각 유형 술어는 테이블 형태로 나타낼 수 있으며, 각 항목은 해당 술어의 요구 사항을 충족하는 다양한 엔티티의 식별자 역할을 합니다. 저장 전략의 세부 사항은 기호 수준(Symbol Level)에서는 문제가 될 수 있지만, 지식 수준(Knowledge Level)에서는 문제가 되지 않습니다.

평등에 중점을 둔 기본 사실들은 평등 개념으로 인해 도메인 표현에 유용한 또 다른 컬렉션을 구성합니다. 예를 들어, 'john = ceoOf(fic)'와 같은 평등을 사용하여 John이 faulty Insurance Company의 CEO임을 표현할 수 있습니다. 비슷한 방식으로, 'bestFriendOf(jim) = john'을 사용하면 Jim의 절친이 John임을 정확히 표현할 수 있습니다.

등호는 이름의 단순화에도 사용될 수 있습니다. 예를 들어,

'fic = faulty'처럼 한 엔티티가 두 개 이상의 이름으로 알려져 있는 경우에 사용됩니다.

2.9 복잡한 사실

트위터와 같은 플랫폼에서 전달하고자 하는 대부분의 정보는 원자적 문구(Atomic Phrases)로 표현할 수 있는 것보다 훨씬 복잡합니다. 따라서 해당 도메인에 대한 다양한 의견을 설명하기 위해서는 수량화자(Quantifiers)와 여러 가지 다른 연결사(Connectives)를 포함하는 복잡한 공식을 사용해야 합니다.

예를 들어, 모든 부유한 남성이 Jane을 좋아한다는 사실을 표현하기 위해 전체적인 정량화(Universal Quantification)를 사용할 수 있습니다: '$\forall x(Rich(x) \land Man(x) \rightarrow Likes(x, jane))$'. 이때 '부유한 남성'이라는 개념은 술어 결합(Predicate Combination)으로 표현됩니다.

비슷하게, 제인을 제외한 모든 여성이 John에 대한 감정을 가지고 있다는 사실을 표현하기 위해 다음과 같은 전체적인

정량화를 사용할 수 있습니다:

$$\forall\, y[Rich(y) \wedge Man(y) \supset Loves(y, jane)]$$

여기서 '부유한 사람'이라는 문구는 술어 결합으로 언급되고 있다는 점에 유의하는 것이 중요합니다.

비슷한 맥락에서, 우리는 이 세상에서 모든 여성이 Jonh에게 감정을 가지고 있다는 현실을 강조할 필요성을 느낄 수 있습니다. Jane을 제외한 모든 여성이 Jonh에 대한 감정을 가지고 있습니다. 이를 위해 각 여성에게 보편적인 척도를 적용하고 평등이라는 개념을 무시하여 제인을 제외할 수 있습니다:

$$\forall\, y[Woman(y) \wedge y \neq jane \supset Loves(y, john)]$$

보편화는 특정 개인이나 인지도가 높은 사람을 포함하지 않는 매우 일반적인 진리를 설명하는 데에도 유용할 수 있습니

다. 예를 들면, 다음과 같이 표현할 수 있습니다:

$$\forall x \, \forall y [Loves(x,y) \supset \neg Blackmails(x,y)]$$

불충분한 정보를 전달할 경우의 표현은 보다 복잡한 공식을 사용해야 합니다. 예를 들어, Jane이 Jonh이나 Jim 중 한 명에게 로맨틱한 감정을 가지고 있다는 것을 알고 있지만 어느 쪽인지 모른다면, 그 믿음을 표현하기 위해 다음과 같은 분절을 사용해야 합니다:

$$Loves(jane,john) \lor Loves(jane,jim)$$

같은 맥락에서 다른 누군가가 Jonh을 협박하고 있다는 사실을 알고 있지만 누군지 모른다면 실존적 수량화자를 사용하여 그 사람을 알 수 없는 사람으로 가정해야 합니다. 예를들면, 실존적 수량자를 사용하여 그 사람을 가정한다면, 다음과 같습니다:

$$\exists x [Adult(x) \land Blackmails(x,john)]$$

마지막으로, "Jane은 Jonh과 동일하다"와 같은 일련의 진술을 사용하여 알려진 모든 사람을 명시적으로 구분하는 것은 명제를 보다 구체화하는데 도움이 됩니다. 예를 들어, 이러한 명제를 사용한다면, 범죄를 조사할 때 두 사람이 동일 인물이라는 의도하지 않은 가정을 제외할 수 있습니다.

2.10 용어적 사실 (Terminological Facts)

지금까지 논의한 사실들은 특정 도메인 내의 기본적인 상황을 이해하고 추론을 위한 자료를 제공하는 데 충분합니다. 예를 들어, '드라마의 세계'와 같은 도메인을 고려할 때, 우리가 검토한 술어(predicate)와 함수 기호(function symbols) 간의 관계도 중요합니다. 이는 표준적인 관행(standard practice)에 해당합니다.

예를 들어, 이 분야에서 "당신은 누구입니까?"라는 질문에 "여성"이라는 답변이 명백하다고 간주됩니다. John이 남성이라고 할 경우, 이는 $\neg Male(john)$로 표현될 수 있습니다. 또한,

MarriedTo(jr, sueEllen)이 사실로 확인되었다면, 우리는 MarriedTo(jr, sueEllen)이 실제로 존재한다는 사실을 문제 없이 받아들일 수 있습니다. 그러나 이러한 결론은 기존 지식 기반(Knowledge Base, KB)에서 찾을 수 있는 것으로만 뒷받침될 수 있습니다. 정확한 추론을 위해서는 언어와 관련된 일련의 용어적 사실을 제시해야 합니다.

● 불연속성(Disjointness): 두 술어 간의 불연속성은 한 술어의 주장이 다른 술어의 부정을 필요로 할 때 발생합니다.

● 하위 유형 포함(Subtype Inclusion): 특정 술어가 다른 술어를 특수화하는 경우입니다. 예를 들어, '외과의사(Surgeon)'가 '의사(Doctor)'의 하위 유형이라고 가정하면, Doctor(x) $\Rightarrow$ Surgeon(x)로 표현할 수 있습니다.

● 완전성(Completeness): 상위 유형이 여러 하위 유형으로 완전히 설명될 수 있다는 주장입니다.

- 반전(Inversion): 서로 반대의 관계를 맺는 술어의 예입니다.

- 종류에 따른 제한(Type Restrictions): 특정 술어가 받는 인수가 특정 종류여야 한다는 제한입니다.

- 전체 정의(Complete Definition): 복합 술어는 다른 술어의 논리적 조합으로 정의됩니다.

이러한 용어적 사실은 일반적으로 논리 언어에서 보편적으로 정량화된 조건(universally quantified conditions) 또는 이중 조건(double conditions)으로 표현됩니다.

2.11 수반 조건 (Implication Conditions)

이제 명시적으로 표현된 지식 기반(Knowledge Base, KB)에서 암묵적인 결론을 도출하는 이유를 살펴보겠습니다. KB를 사용하여 다양한 유형의 질문에 답변할 수 있습니다. 예를 들어, "John은 Jane과 결혼했나요?", "CEO가 Jane을 사랑하는 회사가 있나요?"와 같은 질문들입니다. 이러한 질문들은 일반화된 논리 언어(First-Order Logic, FOL)를 사용하여 형식화될 수 있습니다.

$$\exists\, x[Company(x) \wedge Loves(ceoOf(x), jane)]?$$

우리의 목표는 이러한 문구의 진실 여부를 KB로부터 유추할 수 있는지를 판단하는 것입니다. 즉, KB가 해당 문구를 수반하는지 여부를 결정합니다. 이를 위해 KB를 만족하는 모든 논리적 해석이 해당 문구를 충족하는지 확인해야 합니다.

질문에 적절한 답변을 제공하기 위해서는 먼저, KB를 만족하는 모든 논리적 해석이 해당 문구를 충족하는지의 여부를 확

인해야 합니다. 예를들면, |= KB라고 가정해 봅시다. 이 경우 |= KB가 참 사실(true)이라면, 다음과 같은 추론이 가능합니다.

모든 사람이 KB에 속하기 때문에 Rich(john), Man(john), y[Rich(y) Man(y) Loves(y, jane)]를 충족합니다. 결과적으로 |= (john, jene)을 사랑합니다. 이제 (john = ceoOf(fic))가 KB에도 존재한다고 가정하면 다음과 같은 결론을 얻을 수 있습니다:

$$\mathfrak{I} \vDash Loves(ceoOf(fic), jane).$$
$$Company(faultyInsuranceCompany)$$
$$fic = faultyInsuranceCompany$$
$$\mathfrak{I} \vDash Company(fic) \land Loves(ceoOf(fic), jane),$$
$$\mathfrak{I} = \exists x[Company(x) \land Loves(ceoOf(x), jane)].$$

이 추론은 어떤 해석을 하더라도 타당하므로, 문제의 구절에 대한 r가정이 실제로 KB에 있다고 우리는 추론할 수 있습니다.

Chat GPT 등 많은 응용 프로그램에서 사람들은 어떤 것이 사실인지 아닌지 판단하는 데에만 관심이 있는 것이 아니라, 오히려 어떤 이유가 있는 지에 관심을 가질 수 있습니다. 다시 말해, 많은 응용 프로그램에서는 예-아니오 종류의 질문뿐만 아니라 '누가, 무엇을, 어디서, 언제, 어떻게, 왜'와 같은 다양한 종류의 질문에 대한 답변이 필요하다는 뜻입니다.

이번에는 가상의 상황에 관한 두 번째 예를 살펴보겠습니다.

다음 질문을 생각해 보겠습니다. "john이 어떤 남자에게 협박을 당하고 있는 것이 아니라면, john을 사랑하는 다른 사람이 jonh을 압박(예를 들면, 스토킹)하고 있는 것은 아닐까요?" 라는 질문을 논리적인 언어로 표현한다면 다음과 같이 표현할 수 있습니다:

$$\forall x[Man(x) \supset \neg Blackmails(x,john)] \supset$$
$$\exists y[Loves(john,y) \land Blackmails(y,john)]?$$

다시 한 번 말하지만, 이 질문을 진행하기 위해서는 해당 문구가 KB의 요구 사항을 충족하는 데 필요한지 여부를 가장 먼저 판단해야 합니다. 그 다음으로, 추론은 KB에서 참으로 알려진 것으로부터 시작하여 적절한 결론에 도달할 때까지 논리적으로 진행해야 합니다.

응답이 "아니오"일 때에 대한 질문에 대해 생각해 보겠습니다. 예를 들어, John이 다른 사람으로부터 협박을 받고 있지 않다고 가정했습니다. 이제 이러한 가정이 KB에 포함되어 있는지 평가해야 합니다. 이를 증명하기 위해서는 KB를 만족하지만 해당 문장의 의미와 일치하지 않는 해석을 찾아야 합니다. 이는 KB에 있는 모든 문장을 검증하는 상당한 작업을 요구하지만, 이를 통해 KB가 해당 상황을 포함하고 있지 않다는 것을 증명할 수 있습니다.

2.12 추상적인 개인 (Abstract Individuals)

지금부터 우리는 지식 기반(Knowledge Base, KB)을 만족시키면서도 특정 문장의 의미와 일치하지 않는 해석을 제시하는 방법을 살펴보겠습니다. 이러한 접근은 KB 내의 문장들이 특정 해석에 대해 모순 없이 적용될 수 있는지를 검증하는 데 중요합니다. 즉, 특정 해석 D,I를 고려하고, 이 해석이 KB의 모든 구문뿐만 아니라 문장의 의미와 반대되는 구문도 만족시킨다는 것을 입증해야 합니다. KB 내의 문장 수를 고려할 때, 각 문장을 개별적으로 검증하는 것은 상당한 작업을 요구합니다. 중요한 점은, 예를 들어, John이 여성에게만 감정을 가지고 있고, John을 협박하는 D가 남성인 경우와 같은 특정 상황을 고려하는 것입니다. 이러한 상황은 KB의 다른 부분과 모순되지 않으면서도 수행될 수 있습니다. 따라서 John이 가까운 사람으로부터 협박을 받고 있다는 가정은 KB 에 내재되어 있지 않음을 보여줍니다.

구매 술어(Purchase Predicate)의 명확성은 전달하고자 하는 구체성의 수준에 따라 달라질 수 있습니다. 이는 예측 불가능한 요소일 수 있습니다. 보다 효과적인 전략은 구매 자체를 개별 개체로 간주하는 것입니다. 이를 위해 원플레이스 술어(One-place Predicate)와 함수를 사용하여 구매를 적절한

수준으로 상세하게 설명할 수 있습니다:

만약 여러분들이 정보를 더 축약해서 제공하려면 일부 접속사를 생략하고, 더 많은 정보를 제공하려면 추가 접속사를 포함할 수 있습니다. 술어 기호 및 함수 기호의 개수가 미리 정해질 수 있다는 점은 우리가 살고 있는 세계의 복잡한 관계를 단순하고 공정하게 표현할 수 있다는 큰 장점을 제공합니다.

2.13 다른 종류의 사실 (Other Types of Facts)

지금까지 살펴본 장치를 통해 드라마의 세계와 같은 상식적인 영역의 핵심 사실과 인물을 표현하는 방법을 탐구했습니다. 다양한 지식 표현 시스템과 각 시스템과 연결된 추론 엔진 사이의 차이점을 조사하기 전에, 도메인에 대한 추가 정보를 기록하는 것이 필수적입니다. 대화의 다음 부분으로 넘어가기 전에 이 부분을 마무리해야 합니다.

이들 각각은 일차 논리(First-Order Logic, FOL)를 구현하는 데 있어서의 문제를 제공하지만, 이 책의 뒷부분에서 살펴볼 것처럼, 이러한 문제는 FOL 또는 다른 지식 표현 언어의 확장을 사용하여 해결할 수 있습니다. 결국, 애플리케이션과 관련성이 높은 정보와 결론의 종류에 따라 적합한 시스템이나 분석 언어가 결정됩니다. 드라마의 세계와 관련된 다양한 종류의 정보 중 일부는 다음과 같습니다:

- **통계적 및 확률적 사실**(Statistical and Probabilistic Facts): 술어가 만족하는 사람들의 집합을 포함하며, 어떤 상황에서는 정확한 하위 집합이고 다른 경우에는 완벽하게 정량화할 수 없습니다.

- **기본 및 전형적 사실**(Basic and Typical Facts): 이는 종종 사실이거나 달리 말할 때까지 사실로 추정하는 것이 공정한 특성을 식별하는 사실입니다.

- **의도적인 사실**(Intentional Facts): 사람들의 정신적 태도와 의도를 나타내는 사실입니다. 이는 사람들의 생각의 현

실을 반영할 수 있지만 반드시 "실제" 세계 자체를 반영하지는 않습니다.

이 섹션에서는 간단하고 FOL로 설명하는 데 많은 노력이 필요하지 않은 형식에 대해 살펴봤습니다. 다음 장에서는 각기 다른 장단점이 있는 더 많은 표현 언어에 대해 살펴보겠습니다. 하지만 먼저 FOL에서 KB의 수반 조건을 어떻게 계산할 수 있는지 알아보겠습니다.

3장. 해결 방법 (Resolution Methods)

이 장에서는 기본 애플리케이션 도메인에 대한 지식을 표현하는 데 일차 논리(First-Order Logic, FOL)를 어떻게 사용할 수 있는지에 대한 사례 연구를 살펴봅니다. 또한, 논리적 추론이 특정 지식 집합에 존재한다고 가정된 진리를 발견하는 데 어떻게 활용될 수 있는지를 탐구합니다. 이전에는 수기로 작성된 논리적 추론 과정이 다소 비공식적인 방식으로 진행되었습니다. 이 장에서는 연역적 추론 과정을 프로그래밍 방식으로 수행하는 방법을 구체적으로 살펴보겠습니다.

최적의 연역적 절차를 위한 조건을 지식 수준에서 명확하게 표현하는 것은 간단합니다. 예를 들어, [x1, ..., xn]이 xi 중 자유 변수를 포함하는 수식일 경우, 적절한 단어 ti가 존재하여 KB |= [t1, ..., tn]이 되도록 찾는 기술이 필요합니다. 지식 베이스(Knowledge Base, KB)와 구문이 주어졌을 때, KB |=인지 아닌지를 판단할 수 있는 절차가 필요합니다. 1

장에서 언급한 것처럼, 이것은 이상적인 표현이며, 어떤 컴퓨팅 기술도 이 사양의 요구 사항을 완벽하게 충족할 수는 없습니다. 우리의 목표는 가능한 한 논리적으로 건전하고 포괄적인 방식으로 연역적 추론을 수행하는 프로세스를 개발하는 것이며, 이를 가능한 한 완전한 FOL과 유사한 언어로 수행하는 것입니다.

지식창고를 1, ..., n으로 번호가 매겨진 유한한 문장 집합으로 간주하면, 연역적 추론의 문제를 서로 동등한 여러 가지 방식으로 설명할 수 있습니다.

$$KB \vDash \alpha$$
$$iff \vDash [(\alpha_1 \wedge ... \wedge \supset \alpha]$$
$$iff KB \cup - \{\alpha\} \, is \, not \, satisfiable$$
$$iff KB \cup \{\alpha\} \vDash \neg TRUE$$

'TRUE'는 예를 들어 'x(x = x)'와 같이 논리적으로 타당한 모든 주장을 의미할 수 있습니다. 즉, 문장의 유효성을 테스트하거나 문장의 만족 가능성을 테스트하거나 TRUE가 수반되는지 여부를 결정하는 절차가 있다면, 해당 절차를 사용하여 유한한 KB의 수반을 찾을 수도 있습니다. 만약 문장의 타당성을 테스트하는 절차가 없다면, 문장의 만족도를 테스트하는 절차도 없습니다. 문장이 유효한지 여부를 판단하는 절차가 없다면, 문장이 만족스러운지 여부를 판단하는 절차가 없다면, 문장이 공정한지 여부를 판단하는 절차가 없는 것입니다. 이는 다음 장에서 다룰 해결 방법이 본질적으로 특정 방정식 집합이 충족될 수 있는지 여부를 선택하는 메커니즘이라는 사실 때문에 필수적입니다. 해결 기법은 다음 장에서 더 자세히 다룰 것입니다.

다음 섹션에서는 먼저 명제 형식의 해상도(Resolution), 이것이 종속되는 절 표현, 그리고 이를 활용하여 수반 조건을 계산하는 방법을 살펴보겠습니다. 그 다음에는 이러한 형태의 합의문을 활용해 어떻게 수반조건을 계산할 수 있는지에 대해 논의할 것입니다. 4.2절에서는 쿼리에서 변수에 대한 바인딩을 찾기 위해 특정 응답 술어를 어떻게 사용할 수 있는지 설명하고, 이 계정을 확장하여 변수와 수량화자에 대응할 수 있도록 합니다. 마지막으로 4.3절에서는 해결과 본질적으로 연관된 몇 가지 계산상의 문제와 이러한 문제를 해결하기 위해 실제로 구현된 해결의 몇 가지 개선 사항에 대해 설명합니다.

3.1 명제적 사례 (Propositional Cases)

이 장에서 살펴볼 추론은 특정한 제약된 형태로 제시된 논리 공식에서 작동합니다. 명제 논리의 모든 공식은 |= ( )와 같은 다른 공식으로 변환될 수 있으며, 여기서 리터럴은 원자 또는 그 부정인 리터럴의 접속사입니다. 이는 모든 명제 논리 공식이 리터럴의 접속사 결합으로 작성될 수 있기 때문에 가능합니다. 우리는 표현식이 서로 논리적으로 동일하다고 말하며, 이러한 표현식을 접속 정규 형식(Conjunctive Normal Form, CNF)이라고 부릅니다. 명제 문맥에서 CNF 수식은 다음과 같은 모양을 갖습니다.

$$(p \vee \neg q) \wedge (q \vee r \vee \neg s \vee p) \wedge (\neg r \vee q)$$

명제 공식을 CNF로 변환하기 위해 따라야 하는 프로세스는
다음과 같습니다:

1. $\land$, $\lor$, $\neg$만 사용하는 수식의 약어라는 사실을 이용하여
   $\supset$과 $\equiv$를 제거합니다;

2. 다음 등식을 사용하여 $\neg$가 원자 앞에만 나타나도록 안쪽
   으로 이동합니다:

$$\vDash \neg\neg\alpha \equiv \alpha;$$
$$\vDash \neg(\alpha \land \beta) \equiv (\neg\alpha \lor \neg\beta);$$
$$\vDash \neg(\alpha \lor \beta) \equiv (\neg\alpha \land \neg\beta)$$

3. 다음 등식을 사용하여 $\land$를 $\lor$ 위에 분배합니다:

이 과정의 결론은 원래 공식과 논리적으로 동일한 CNF 공식
입니다(원래 공식보다 기하급수적으로 커질 수 있음). 예를
들어, 식 $((p \lor q) \land r)$에 규칙 (1)을 적용하면 결과 $((p \lor q) \land r)$을, 규칙 (2)를 적용하면 식 $((p \lor q) \land r)$을, 규칙
(3)을 적용하면 식 $((p \land r) \lor (q \land r))$을 얻을 수 있으며,

이는 CNF에 해당합니다. 이 장에서는 주로 CNF 공식과 그 사용법에 초점을 맞추겠습니다. CNF에 약식 수식을 사용하는 것은 편리하기 때문에 유용합니다. 절 수식은 절의 유한한 집합이며 절은 제한된 수로 축소될 수 있는 리터럴 집합입니다. 다음은 CNF에서 찾을 수 있는 절 수식의 예와 그 해석입니다: 절 구문은 절들의 결합으로 해석할 수 있으며, 각 절은 리터럴의 분리로 해석하고 리터럴은 일반적인 방식으로 해석할 수 있습니다. 이러한 문맥에서 절을 올바르게 설명하기 위해 다음과 같은 표기법을 사용합니다:

예를 들어, [p, q, r], [q]는 두 개의 절로 구성된 절 수식이며 $((p \lor q \lor r) \land q)$로 이해되지만, [p, q, r], [q]는 세 개의 리터럴로 구성된 구문이며 분절$(p \lor q \lor r)$로 해석됩니다. 이 두 관용구는 각 언어에서 절의 인스턴스입니다.

절은 [p]와 같이 내부에 리터럴이 하나만 있을 때 그 단위 형태라고 합니다.

빈 절과 [ ] 표기가 모두 있는 수식과 빈 절만 있는 수식은 같은 것이 아니라는 점을 명심해야 합니다. 빈 구문 [ ]가 참 (생각할 수 있는 모든 결과의 접합)을 표현한다는 것이 널리 합의되어 있고, 이러한 이유로 [ ]도 참을 표현하는 기호라는 점을 고려하면 [ ]도 참의 기호입니다. 반면에 제약 조건이 없는 조건의 결합인 절식 수식에는 진리의 표현이 포함될 수 있습니다. 이 수식은 제약 조건의 결합입니다.

이 강연에서는 편의를 위해 CNF로 작성된 표준 방정식과 이를 절 집합으로 표현하는 방식을 쉽고 유동적으로 전환할 것입니다.

이 장의 시작 부분에 제시된 관찰 결과를 CNF에 대해 배운 내용과 결합하면 연역적 추론의 관점에서 보면 다음과 같은 상황이 전개되고 있음을 알 수 있습니다.

3.1.1 해상도 추론 (Resolution Reasoning)

기호 수준에서 추론에 대해 이야기할 때, 흔히 추론 규칙이라고 하는 일련의 지침을 가정하는 것으로 시작하는 것이 일반적입니다. 이러한 추론 규칙을 구성하는 주장은 다른 공식으로부터 어떤 공식을 도출할 수 있는지를 나타냅니다. 이 경우, (이진) 해상도(Resolution)라고 하는 하나의 추론 규칙을 적용하기만 하면 됩니다:

어떤 리터럴을 포함하는 절 c_1과 그 보수를 포함하는 절 c_2가 주어졌을 때, 첫 번째 절에 포함되지 않는 리터럴과 두 번째 절에 포함되는 리터럴로 구성된 절 $c_1 \cup c_2$를 추론합니다. $c_1 \cup c_2$에는 첫 번째 절에 있는 리터럴의 보수가 포함됩니다. 보수를 포함하지 않는 리터럴은 각각 c_1과 c_2를 구성합니다.

이 특정 시나리오에서는 두 절 c_1과 c_2 사이의 링크를 입력한 두 단어의 해상도라고 합니다. 이 용어는 두 문장 사이의 관계를 설명하는 데 사용됩니다. 예를 들어, [w, p, q] 및 [s, w, p]라는 절로 시작하는 경우 변수 p와 관련하여 해상도 절 [w, s, q]를 유추할 수 있습니다. 이는 [w, p, q]와 [s, w, p]가 모두 해상될 수 있는 절이기 때문입니다. [q, q]를 p와 관련하여 보거나 [p, p]를 q와 관련하여 보는 것입니다. 이 절들 중 어느 것도 [] 값과 일치하는 값을 포함하지 않는다는 점을 명심하는 것이 중요합니다. 비어 있는 절을 받으려면 먼저 [p] 및 [¬p]와 같이 서로 보완적인 두 개의 단위 절을 해상해야 하는데, 이는 비어 있는 절을 얻기 위한 요건이기 때문입니다. [p]와 [¬p]는 상호보완적인 단위절의 예입니다.

A 일련의 절에서 파생된 해상도는 절 c의 파생으로 이어집니다. S는 일련의 절 c1, ..., cn입니다. 여기서 마지막 절인 cn은 c이고, 각 ci는 S의 요소이거나 파생에서 이전 두 절의 결합물이며, cn은 시퀀스의 마지막 절입니다. 해상도 도출의 예로는 해상도를 사용하여 절 집합 S에서 절 c를 추출하는 것을 들 수 있습니다. 가능한 경우 S ⊢ c라는 표기법을 사용하여 c가 S에서 파생될 수 있음을 나타냅니다.

해상도가 생성하는 파생에 높은 우선순위를 부여하는 이유는 무엇일까요? 유한한 리터럴 집합에 대한 전적으로 기호 수준의 작업이 지식 수준의 논리적 해석과 분명한 연관성을 가지고 있다는 사실이 이 대화에서 가장 중요한 점입니다.

두 개의 입력 절이 있을 때는 거의 항상 문장에 해상도가 내포되어 있습니다. 이것이 명심해야 할 가장 중요한 포인트입니다. 두 개의 서로 다른 절, 즉 c_1과 c_2가 있고 이 두 절이 모두 리터럴 p로 마무리된다고 가정해 보겠습니다. 다음과 같은 관계로 인해 $c_1 \cup p$, $c_2 \cup p = c_1 > c_2$라고 주장합니다:

데이터가 어떤 방식으로든 해석될 수 있다는 사실과 $\vDash c_1 \cup p$와 $\vDash c_2 \cup p$의 해석이 같다는 사실을 고려하여 왜 그런지 살펴봅니다. 두 가지 다른 결과가 발생할 수 있습니다: 만약 $\vDash p$라면, 당연히 $\vDash p$이지만, 어떻게 보면 이미 $\vDash p$이므로 그럴 필요가 없습니다.

만약 |= p라면, |= c1 ∪ p이므로 |= c1, 따라서 다시 |= c1 ∪ c2가 되어야 합니다. 마찬가지로, |= c2라면 |= c2, 따라서 다시 |= c1 ∪ c2가 되어야 합니다.

|= c1이라면, |= c2 ∪ p이므로 |= c1이 되어야 합니다. 만약 |= c2라면, |= c1 ∪ c2 방정식이 모든 상황 집합에 유효하다는 것을 보여줄 수 있습니다.

이 추론을 계속 진행하여 S로부터 해상도에 의해 도출될 수 있는 모든 절이 S에 의해 수반된다는 것을 증명할 수 있습니다. 보다 구체적으로, S가 c라면 S |= c. 유도 길이에 대한 귀납법을 사용하여 각각의 모든 c_i에 대해 S = c_i임을 증명할 수 있습니다:

만약 c_i가 S와 같지 않다면, c_i는 앞의 두 절의 결합물이므로 앞서 증명한 것처럼 해당 절과 S에 의해 필연적으로 필요하며, 만약 c_i가 S와 같다면 이는 증명적으로 참입니다.

그러나 그 반대는 참이라고 말할 수 없습니다. 예를 들어, S를 [p]로 표시된 단일 절로, c를 [q, q]로 표시된 쌍으로 가정하면 실제로 S가 없어도 S = c를 가질 수 있습니다. 따라서 S에는 해상도가 포함되어 있지 않음에도 불구하고 S가 c를 암시한다는 것은 명백합니다.

다시 말해, 해상도 도출을 식별하는 방법은 유효한 추론 스타일이지만 완전한 것은 아닙니다.

그럼에도 불구하고 해상도는 결과의 일반성을 손상시키지 않고 수반 조건을 계산하는 데 사용할 수 있는 특징이 있습니다: c가 빈 절인 경우 해상도는 유효하고 완전한 것으로 간주됩니다.

S |= []인 경우에만 S ⊢ []가 성립한다는 정리가 있는데, 이를 다른 말로 표현하면 S |= []인 경우에만 S ⊢ []가 성립한다는 것입니다.

이에 비추어 볼 때, 우리는 S ⊢ [] 경우에만 S ⊢ []를 만족시킬 수 없다는 것을 추론할 수 있습니다. 이제 특정 절의 집합이 만족될 수 있는지 여부를 평가하는 방법을 갖게 되었으며, 우리에게 필요한 것은 빈 절의 도출을 찾는 것뿐입니다. 이는 서로 다른 절의 집합 S에 대해 작동하므로 해상도가 반박 완료적(refutation-complete)이라고 말할 수 있습니다.

3.1.2 수반 절차 (Implication Procedure)

절차 개요

본 절에서는 지식 베이스(Knowledge Base, KB)가 특정 명제를 수반하는지 여부를 결정하는 과정을 논의합니다. 이 과정은 KB와 조건부 정규 형태(Conjunctive Normal Form, CNF)를 입력으로 사용하여, 빈 절(Empty Clause)의 유도 여부를 통해 결과 집합 S의 만족 여부를 검증합니다. 만약 S가 만족스럽지 않다면, 이는 ⊨KB⊨조건이 충족됨을 의미합니다. 이 목표를 달성하기 위해 비결정론적 접근 방식을 사용할 수 있습니다(그림 4.1 참조).

절차 상세

이 절차는 입력 절 S에 대해 빈 절이 유도될 때까지, 혹은 추가할 수 있는 다른 절이 없을 때까지 재확인자를 추가하는 과정을 반복합니다. 만약 누락된 절이 발견되면, 프로세스는 중단됩니다. 이 과정에서, 집합에 추가되는 모든 새로운 절은 이전 절의 재결합으로, 새 절에 포함된 리터럴은 원래 집합 S에 이미 존재했던 리터럴입니다.

이 접근법은 결국 새로운 절의 쌍을 식별할 수 없는 지점에 도달하게 되며, 이는 선택 가능한 절의 쌍이 여러 개 있을 경우, 최적의 절을 선택하는 계획을 수립해야 함을 의미합니다. 이는 여러 쌍의 조합을 통해 새로운 해결 방안을 도출할 수 있음을 시사합니다. 이전에 평가한 쌍의 조합을 기록하여 재평가를 방지하는 것이 중요하며, 각 용매의 입력 절에 대한 포인터를 용매와 함께 저장하는 것이 유용합니다.

이 방법은 KB에서 유래된 문장과 쿼리에서 유래된 부정 문장을 구분하지 않으며, 두 유형의 문장을 동일하게 취급합니다. 이는 KB에 대해 여러 질문을 할 경우, KB를 CNF로 변환하고 각 쿼리의 부정에 대한 절을 추가하기만 하면 됨을 의미합니다.

기본 사례

기본적인 사례를 통해 이 기법의 적용을 살펴보겠습니다. 예를 들어, 특정 개인에 대한 다양한 속성을 나타내는 KB를 시작점으로 사용할 수 있습니다. 이러한 속성은 개인이 유아, 어린이, 여성, 남성 등의 특정 조건을 만족할 때 해당하는 범주로 분류됩니다(그림 4.2 및 4.3 참조).

3.2 변수 및 한정자 처리하기

절차 개요

명제 논리를 사용한 수반 후, 변수, 용어, 수량자를 포함한 추론에 대해 논의합니다. 부정이 내부로 이동한 후, 실존 수량자가 없다는 가정으로 시작하여, 수량화자가 고유한 변수 위에 배치되도록 변수의 이름을 변경하는 표준화 과정을 거칩니다. 이는 CNF의 정량화된 버전을 생성하는 데 필요한 단계입니다(그림 3.1 및 3.2 참조).

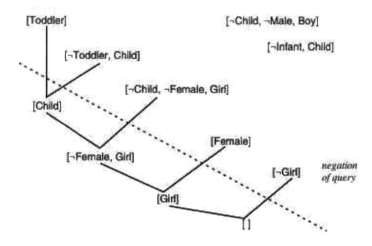

그림 3.1 해결 시작의 기본 그림

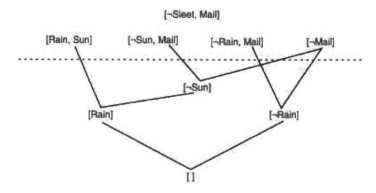

그림 3.2 다음에서 파생되는 해상도의 두 번째 그림

치환과 일반화

치환(Substitution)에 대한 특수 표기법을 소개하며, 이는 "x1/t1, ..., xn/tn" 형식의 유한한 쌍 집합으로 정의됩니다. 여기서 xi는 고유 변수를 나타내고 ti는 임의의 용어를 나타냅니다. 이러한 치환을 통해 리터럴의 인스턴스가 생성됩니다.

이 과정을 통해, 복잡한 논리 구조를 가진 문장을 분석하고 해석하는 데 필요한 기반을 마련합니다.

3.2.1 우선순위 해결 규칙

해결 규칙의 적용

변수를 포함하는 절에 해결 규칙을 적용하는 과정은, 변수가 암시적으로 보편적으로 정량화되어 있다는 점에서 출발합니다. 이는 해당 절의 인스턴스에서 해결 추론을 가능하게 하는 주된 동기입니다.

예를 들어, 절 [Q(b), R(b, f(a))]이 주어졌을 때, 이 절이 어떻게 두 원본 절의 해결자가 될 수 있는지를 정의하는 것이 우리의 목표입니다.

일반 해결 규칙

두 절 c1과 c2가 각각 리터럴 1과 리터럴 2의 보수를 포함하고 있다고 가정해 봅시다. 우리는 각 절의 변수 이름을 변경하여 각 절이 고유한 변수 집합을 가지도록 하고, 1절이 2절과 같도록 대체할 수 있는 변수를 가정합니다. 이 과정을 통해, 첫 번째 절의 리터럴 1과 다른 리터럴, 그리고 두 번째 절의 리터럴 2와 다른 리터럴로 구성된 새로운 절(c1 c2)을 유도할 수 있습니다.

이 시나리오에서는 1과 2를 통합하는 과정을 '통합자(Unifier)'라고 하며, 이는 두 리터럴을 통합하는 과정을 의미합니다. 우리는 이 새로운 일반 해결 규칙을 도입함으로써, 파생의 개념은 변경되지 않으며, 동등성을 무시하고 S |= [] 인 경우에만 S []가 사실임을 유지할 수 있습니다.

다이어그램에서는 해상도 도출을 설명하기 위해 과거와 동일한 표준을 준수하되, 대부분의 경우 실선 중 하나에 가까운 곳에 통합 치환을 나타내는 레이블을 배치합니다.

다음의 예시는 변수를 사용한 해상도 유도에 대한 도식(그림)
입니다.

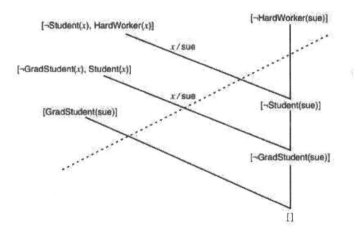

그림 3.3 변수를 사용한 해상도 유도 그림

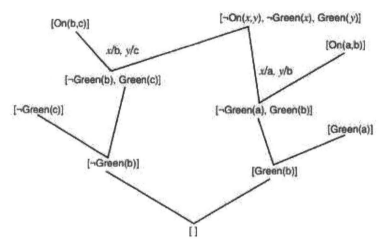

그림 3.4 세 블록 문제

덧셈의 특성 공식화

덧셈의 관계를 표현하기 위해 술어 Plus(x, y, z)를 사용할 수 있으며, 다음과 같은 방식으로 덧셈의 특성을 공식화한 지식 베이스로 시작할 수 있습니다.

$\forall$x. Plus(0, x, x)

$\forall$x$\forall$y$\forall$z. Plus(x, y, z) $\supset$ Plus(succ(x), y, succ(z)).

이 지식 베이스는 정수의 삼중항 간의 모든 예상 관계를 포함하며, 이러한 관계를 추적하는 데 유용합니다. 예를 들어, 그림 4.6은 이 지식 베이스의 논리적 결과로서 2 더하기 3이 5임을 보여줍니다.

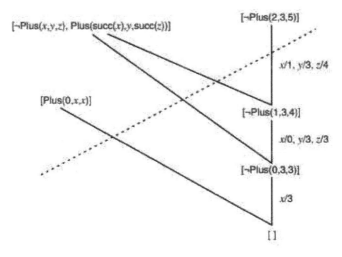

그림 3.5 FOL의 산술

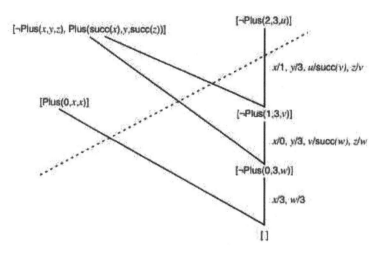

그림 3.6 실존적 산술 쿼리

3.2.2 답변 추출

전체 일차 논리(First-Order Logic, FOL)가 관련된 경우, 쿼리에 대한 답을 얻는 것은 일반적으로 간단하지만, 실존 유도에서 변수의 바인딩을 분석하여 질문에 대한 답을 얻는 것은 더 복잡합니다. KB는 특정 t에 대해 P(t)를 명시적으로 나타내지 않고도 어떤 x에 대해 P(x)를 암시할 수 있습니다.

답변 추출 기법

답변 추출 기법은 쿼리에 대한 응답을 처리하기 위한 포괄적인 전략입니다. 관심 있는 변수 x에 대해, 쿼리 x. P(x)를 x. P(x) ∧ A(x)로 수정하여, A가 새로운 응답 술어로 작용하게 합니다. 이 술어는 파생이 완료될 때까지 유지되며, 응답 술어만 있는 문장이 생성되면 파생이 완료됩니다.

다음은 답변 추출의 예시입니다. 함께 살펴보겠습니다.

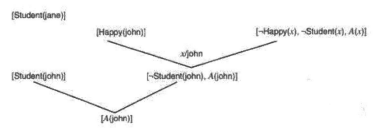

그림 3.7 이산 응답을 제공하는 술어 응답

예를 들어, KB에 "학생(jonh) 학생(jane) 행복(jonh) 행복(jane)"이라는 단어가 있다면, 한 상황에서는 "jane"이라는 답을 도출할 수 있지만 다른 상황에서는 "jonh"이라는 답을 도출할 수 있습니다.

모호하거나 개방형 응답이 있는 질문을 다룰 때 답변 추출 절차는 매우 유용합니다. 웃고 있는 것으로 보이는 학생을 식별할 수는 없지만 웃고 있는 학생이 있다는 것은 알 수 있습니다.

결론적으로 답변 추출 과정은 변수가 포함된 절을 생성할 수 있으며, 이는 특히 모호하거나 개방형 응답이 있는 질문을 다룰 때 유용합니다. 이 과정은 PROLOG 프로그래밍 언어의 기초를 형성하며, 실존 쿼리에 대한 답을 계산하는 방식에 영감을 줍니다.

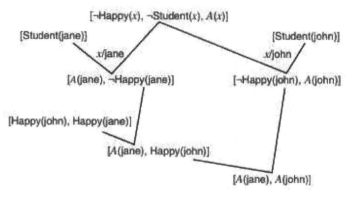

그림 3.8 부정확한 답을 가진 술어

3.2.3 스콜레미제이션(Skolemization)

실존 변수의 처리

CNF로의 변환 과정에서 실존 변수를 무시하는 일반적인 접근법에는 한계가 있습니다. 예를 들어, P(x, y, z)와 같은 수식을 CNF로 변환할 때, xyz와 같은 KB에 포함된 데이터를 적절히 관리할 수 없었습니다. 이 문제를 해결하기 위해, 실존 변수를 관리하고 그러한 사실을 정확하게 표현하기 위한 스콜레미제이션(Skolemization) 과정을 도입합니다. 이 과정에서는 존재한다고 가정된 개체에 대해 고유한 이름(스콜렘 상수 및 스콜렘 함수)을 부여하고, 이 이름을 사용하여 사실을 상징화합니다.

예를 들어, x가 존재한다고 명시된 경우, 이를 a로 명명하고, 모든 y에 대해 존재하는 z를 f(y)로 표현합니다. 따라서 P(x, y, z)대신 ∀y. P(a, y, f(y))를 사용하게 되며, 여기서 a와 f 는 스콜레미제이션 과정에서 도입된 특별한 기호입니다.

스콜레미제이션의 적용

스콜레미제이션은 CNF 변환 과정에서 실존 변수를 제거하는 전략으로, 각 실존 변수를 해당 변수를 지배하는 보편 변수의 수와 동일한 수의 인수를 가진 새로운 함수 기호로 대체합니다. 이 과정을 통해 실존 변수는 더 이상 보편 변수에 의해 지배되지 않게 됩니다.

예를 들어, 실존적으로 정량화된 y가 보편적으로 정량화된 x1, x2, x3에 의해 지배되는 경우, y를 f(x1, x2, x3)로 대체하여 실존 변수를 제거합니다.

스콜레미제이션과 해상도

스콜레미제이션을 통해 변환된 CNF는 원래의 실존 진술과 논리적으로 동일하지 않을 수 있습니다. 예를 들어, $\exists x.$ $P(x)$가 스콜레미제이션을 통해 $P(a)$로 변환된 경우, 이 두 표현은 논리적으로 동일하지 않습니다. 그러나 해상도 원리를 적용할 수 있는 경우에만 중요하며, 이는 해상도에 필요한 모든 조건을 충족합니다.

스콜레미제이션 과정은 실존을 지배하는 보편적인 요소에 의존하며, 이는 해상도를 사용하여 논리적 추론을 수행하는 데 중요한 역할을 합니다.

3.2.4 동등성

동등성을 포함하는 공식을 처리하기 위해서는, 평등 공리를 절 기반으로 확장하여 동등성을 고려할 수 있도록 해야 합니다. 이는 $a = b$, $b = c \Rightarrow a = c$와 같은 동등성을 만족할 수 없는 문장 집합을 처리할 수 있게 합니다.

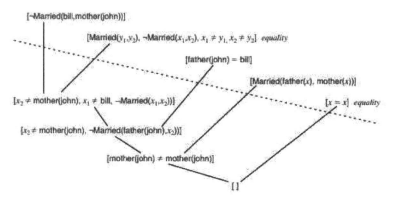

그림 3.9 평등의 공리 사용하기

3.3 계산 난해성 다루기

해상도 기반 추론이 모든 추론 문제에 대한 효과적인 해결책을 제공하지 않음을 인식하는 것이 중요합니다.

3.3.1 첫 번째 주문 사례

예를 들어, 산술 영역에서 단 하나의 공식으로 구성된 KB를 고려해 보면, LessThan(0, 0)과 같은 쿼리에 대해 해상도를 통해 무한 분해 가능성이 존재함을 알 수 있습니다. 이는 해상도를 통한 추론이 항상 유한한 단계 내에 결론에 도달하지 않을 수 있음을 의미합니다.

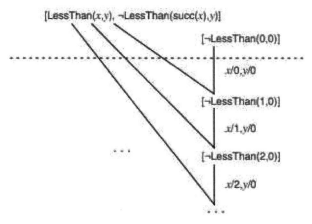

그림 3.10 무한 분해능 분기

이러한 무한 분기의 가능성은 해상도 기반 추론의 한계를 나타내며, 깊이 우선 검색만으로는 해결할 수 없는 문제를 제시합니다. FOL의 계산 난해성은 이러한 언어의 강력함에서 비롯되며, 이는 프로그램의 반복 여부를 판단할 수 없는 것과 유사한 문제를 야기합니다.

결론적으로, 해상도 기반 추론은 특정 조건 하에서만 유효한 결과를 제공할 수 있으며, 모든 경우에 효과적인 해결책이 되지는 않습니다. 이는 해상도 기반 추론을 적용할 때 주의 깊게 고려해야 할 중요한 측면입니다.

3.3.2 허브랜드 정리의 증명

명제적 상황과 FOL의 해결

4.1절에서 검토한 바와 같이, 명제 논리에서는 해결법을 결론에 이르게 실행할 수 있으며, 이는 비종결성 문제가 발생하지 않음을 의미합니다. FOL에서 해결법이 때때로 명제적 시나리오로 단순화될 수 있다는 점은 주목할 만한 특징입니다. 절의 집합 S에 대한 허브랜드 세계는 S에 존재하는 상수와 함수 기호만을 사용하여 생성할 수 있는 모든 접두사의 집합으로 정의됩니다.

허브랜드 우주와 기저

단항 함수 기호 f와 상수 a, b만을 포함하는 집합 S의 경우, 이 집합을 허브랜드 우주라고 합니다. S의 허브랜드 기저는 허브랜드 우주의 항에 변수 c를 연결하는 모든 접점 절 c의 모음으로 정의됩니다. 이러한 절의 집합을 S의 허브랜드 기저라고 하며, 이는 c의 값과 동일하게 정의됩니다.

허브랜드 정리

허브랜드 정리에 따르면, 절 집합은 허브랜드 기저가 존재하는 경우에만 만족 가능하다고 간주됩니다. 허브랜드 기저가 존재하지 않는 경우, 절 집합은 만족 가능하지 않습니다. 이는 허브랜드 기저가 변수가 없는 문장으로만 구성되어 있기 때문에 본질적으로 명제들의 집합에 불과하다는 사실에 기인합니다.

허브랜드 기반의 한계

허브랜드 기반의 주요 단점은 일반적으로 명제 절의 무한 집합이 되며, 이는 임의의 절 집합이 만족 가능한지 여부를 결정할 수 있는 절차가 없음을 의미합니다. 반면, 허브랜드 세계는 함수 기호가 없고 유한한 상수만 존재하는 경우 유한 상태로 변환될 수 있습니다.

3.3.3 전치사 케이스

명제 절의 집합을 수집하는 과정이 결론에 도달할 수 있다는 점은 해결 프로세스의 잠재적 가능성을 시사하지만, 이것이 실행 가능한 대안이 되는 것은 아닙니다. Armin Haken은 1985년에 만족할 수 없는 명제 문장 집합에 대해 최단 파생을 완성하는 데 2^n단계가 필요함을 밝혀냈습니다. 이는 해결 절차가 기하급수적인 시간을 요구할 수 있음을 의미합니다.

3.3.4 시사점

이러한 결과는 해결법이 모든 문제에 대한 만병통치약이 아니라는 것을 나타냅니다. 지식 표현을 위해 절의 만족도를 평가하는 것은 계산적으로 너무 복잡할 수 있습니다. 이는 지식 표현과 추론 분야에서 수행된 대부분의 연구가 이 문제에 대한 해결책을 찾으려는 시도로 볼 수 있음을 의미합니다.

3.3.5 SAT 솔버

명제 논리의 경우, 해결 절차보다 시간과 노력을 더 효율적으로 절 그룹의 만족도를 평가하기 위한 여러 프로세스가 제공되었습니다. 이러한 프로세스는 SAT 솔버라고 하며, 만족 가능한 문장에 대해 더 효과적인 해석을 찾는 데 사용됩니다. SAT 솔버의 적용은 해결 절차의 대안으로 고려될 수 있으며, 특정 입력에 대해 기하급수적으로 더 많은 시간이 소요될 수 있음을 시사합니다.

이러한 접근 방식의 시사점은 해결법이나 SAT 솔버를 사용하여 명제 논리 문제를 해결할 때 고려해야 할 중요한 요소들을 제공합니다. 이는 지식 표현과 추론을 위한 방법론을 선택할 때 중요한 고려 사항이 됩니다

3.3.6 기타 개선 사항

해상도법은 다양한 추가적인 개선 사항을 통해 검색 효율성을 높일 수 있습니다.

절 제거

빈 절에 대한 파생이 전혀 없는 경우, 특정 종류의 절을 활용하지 않는 절을 제거함으로써, 형성되는 총 절의 수를 줄이는 것이 목표입니다. 이를 위한 몇 가지 예시는 다음과 같습니다.

하위절(Subsumed Clause): 다른 절에 이미 포함된 리터럴의 하위 집합을 포함하는 절입니다.

순수절(Pure Clause): 다른 곳에는 나타나지 않는 특정 리터럴을 포함하는 절입니다.

긴장절(Tautology Clause): 자기 참조적인 문장으로, 파생 과정에서 건너뛸 수 있습니다.

순서 전략

미리 정해진 순서대로 해상도 단계를 수행하여 빈 절을 성공적으로 도출할 확률을 높이는 것이 목표입니다. 단위 절 우선 사용은 현재까지 가장 효과적인 방법으로 간주됩니다.

지원 배열

지식 기반(KB)과 질문의 부정이 모두 충족되지 않더라도, KB 자체는 여전히 유효할 수 있습니다. 입력 조항 중 하나 이상이 쿼리 거부와 관련된 조상으로부터 그 계보를 추적할 수 있는 경우에만 해상도를 수행할 권한이 부여됩니다.

평등에 대한 특별한 고려 사항

평등을 처리하는 한 가지 접근 방식은 파라모듈레이션 (Paramodulation)이라는 추가 규칙을 통합하는 것입니다. 이를 통해 평등 공리를 직접적으로 통합할 필요 없이, 평등을 포함한 작업을 한 단계로 수행할 수 있습니다.

논리 재배열

모든 구문을 특정 카테고리로 분류하여, 변수와 함수의 '유형'을 고려하여 의미 있는 통합만이 빈 절로 이어질 수 있도록 합니다.

연결 그래프

연결 그래프 접근 방식은 극성이 반대인 통일 가능한 두 리터럴을 연결하는 에지를 미리 계산하는 것을 포함합니다. 이는 해상도 작업을 상태공간 검색 문제로 해석할 수 있게 합니다.

다양한 방향

"if p then q"와 같은 문장은 전방향 또는 후방향으로만 사용될 수 있으며, 이는 방향 접속사를 통해 강조됩니다. 이러한 개선 사항들은 해상도법의 효율성을 높이고, 더 빠르고 정확한 결론에 도달할 수 있도록 돕습니다. 그러나 완성도를 떨어뜨리지 않도록 주의해야 하며, 특히 평등과 관련된 처리에서는 논리적 관점에서 접근해야 합니다. 이러한 접근법들은 지식 표현과 추론 과정에서 중요한 역할을 하며, 절차적 표현 언어의 기초를 형성합니다.

4장. 제약 조건 프로그래밍

4.1 소개

제약 조건 프로그래밍(Constraint Programming, CP)은 조합적 검색 문제를 해결하는 데 사용되는 효율적인 프로그래밍 패러다임입니다. 이 방법은 인공지능(AI), 운영 연구(Operations Research), 알고리즘 이론(Algorithm Theory), 그래프 이론(Graph Theory) 등 다양한 분야의 연구 결과에 기반합니다. CP에서는 사용자가 문제의 제약 조건을 정의하고, 범용 제약 조건 솔버(Constraint Solver)가 이러한 조건을 만족하는 해결책을 찾습니다. 제약 조건 만족 문제(Constraint Satisfaction Problem, CSP)는 변수 간의 관계를 명시적으로 정의하며, 이 관계들이 문제의 제약 조건을 형성합니다.

기술적으로, CSP는 여러 변수와 각 변수에 할당 가능한 값의 범위, 그리고 변수의 하위 집합 간의 관계로 구성됩니다. 예를 들어, 대학 시험 일정을 예약하는 문제에서 변수는 각 시험의 시간과 장소가 될 수 있으며, 제약 조건은 시험실의 수용 인원과 시험 간의 충돌 방지 등을 포함할 수 있습니다. 제약 조건 솔버의 목표는 모든 제약 조건을 만족하는 변수 할당을 찾는 것입니다.

제약 조건 솔버는 백트래킹, 분기 및 바운드, 로컬 검색 등 다양한 알고리즘을 사용하여 솔루션 공간을 체계적으로 탐색합니다. 검색과 추론을 병행하는 것은 체계적인 접근법에서 일반적으로 사용되며, 추론은 제약 조건 간의 지식을 전파하는 과정입니다. 이 과정은 탐색해야 할 공간을 줄여줍니다.

4.2 제약 조건 전파

제약 조건 전파는 CSP에서 로컬 일관성을 유지하며 솔루션을 찾는 데 사용됩니다. 로컬 일관성 알고리즘은 제약 조건 간의 지식을 전파하여 탐색 공간을 줄이는 데 도움이 됩니다. 아크 일관성은 가장 중요한 로컬 일관성 유형 중 하나로, 변수의 가능한 값이 제약 조건을 만족시킬 수 있는지 확인합니다. 도메인 가지치기는 아크 일관성을 달성하기 위해 사용되며, 이는 변수의 가능한 값 중 일부를 제거하는 과정입니다.

4.2.1 로컬 일관성

아크 일관성은 CSP에서 중요한 로컬 일관성 유형으로, 제약 조건을 만족시킬 수 있는 값만 변수의 도메인에 남도록 합니다. 이 과정을 통해 탐색 공간이 줄어들며, 아크 일관성을 유지하기 위해 도메인에서 값이 체계적으로 제거됩니다.

기타 개선 사항

제약 조건 프로그래밍은 절 제거, 순서 전략, 지원 배열, 평등에 대한 특별한 고려 사항 등 다양한 방법으로 개선될 수 있습니다. 이러한 기법들은 해결 과정을 최적화하고, 불필요한 절을 제거하며, 효율적인 검색 전략을 적용하여 빠르게 솔루션에 도달할 수 있도록 합니다.

제약 조건 프로그래밍은 복잡한 문제를 모델링하고 해결하는 강력한 도구입니다. 이는 다양한 실제 문제를 효율적으로 해결할 수 있는 유연성과 확장성을 제공합니다. 제약 조건 솔버의 개발과 적용은 계속해서 발전하고 있으며, 이는 연구와 실제 응용 모두에서 중요한 역할을 하고 있습니다.

4.2.2 전역 제약 조건

전역 제약 조건(Global Constraints)은 제약 조건 프로그래밍에서 중요한 역할을 합니다. 이들은 변수의 전체 집합에 걸쳐 적용되며, 종종 특별한 제약 조건 전파 메커니즘을 통해 효율적인 가지치기를 가능하게 합니다. 대표적인 예로, '모두 다름(All Different)' 제약 조건이 있으며, 이는 각 변수 쌍이 서로 다른 값을 가져야 함을 요구합니다. 이 제약 조건은 많은 제약 조건 프로그래밍 시스템에서 기본적으로 제공됩니다.

전역 제약 조건은 모델링을 단순화하고, 특수한 전파 기법을 통해 효율성을 높일 수 있습니다. 예를 들어, '모두 다름' 제약 조건은 $O(r2d)$ 시간 내에 호일관성을 달성할 수 있으며, $O(r)$ 시간 내에 한계일관성을 달성할 수 있습니다.

전역 카디널리티 제약 조건(Global Cardinality Constraint, GCC)과 누적 제약 조건(Cumulative Constraint)은 다른 유형의 전역 제약 조건입니다. GCC는 변수의 수가 특정 값에 대해 지정된 상한과 하한 사이에 있어야 함을 요구합니다. 누적 제약 조건은 리소스의 용량을 초과하지 않도록 작업을 스케줄링합니다.

4.3 검색

제약 조건 충족 문제를 해결하기 위한 검색 알고리즘은 완전하거나 불완전할 수 있습니다. 완전한 알고리즘은 해결책이 존재할 경우 반드시 찾을 수 있으며, 불완전한 알고리즘은 해결책을 찾는 데 효과적이지만 최적의 해를 보장하지는 않습니다.

4.3.1 역추적 검색

역추적 검색(Backtracking Search)은 깊이 우선 검색을 사용하여 CSP의 해결책을 찾는 방법입니다. 검색 트리의 각 노드에서 변수를 선택하고, 해당 변수의 도메인에 있는 값들을 차례로 시도하며, 제약 조건을 만족하는지 확인합니다. 제약 조건 전파를 통해 검색 과정에서 일관성을 유지하며, 불필요한 탐색을 줄입니다.

역추적 검색의 효율성을 높이기 위한 전략으로는 제약 조건 전파, 노굿 레코딩(NoGood Recording), 백점핑(Backjumping), 변수 및 값 순서에 대한 휴리스틱, 무작위화 및 재시작 프로세스 등이 있습니다. 이러한 전략들은 검색 과정을 최적화하고, 더 효율적으로 해결책을 찾을 수 있도록 돕습니다.

검색 중 제약 조건 전파

검색 과정에서 제약 조건 전파를 사용하는 것은 역추적 검색의 성능을 향상시키는 중요한 전략입니다. 제약 조건 전파를 통해 변수의 도메인에서 지원되지 않는 값을 제거하고, 검색 공간을 줄이며, 해결책을 더 빠르게 찾을 수 있습니다. 제약 조건 전파는 역추적 알고리즘에 통합되어, 검색 과정을 보다 효율적으로 만듭니다.

제약 조건 전파는 다양한 알고리즘과 기법을 통해 구현될 수 있으며, 역추적 검색과 결합하여 CSP의 해결책을 찾는 데 중요한 역할을 합니다. 이러한 접근 방식은 CSP를 해결하는 데 있어 강력한 도구로, 복잡한 문제를 효율적으로 해결할 수 있게 해줍니다.

● 노굿(NoGood) 레코딩

제약 충족 문제(CSP)에서 역추적 검색의 성능을 향상시키는 데 있어 노굿 레코딩은 중요한 전략 중 하나입니다. 노굿은 문제의 해결책을 제공하지 않는 변수의 하위 집합에 대한 할당 그룹을 의미합니다. 적절한 노굿을 CSP에 추가하면 검색 트리에서 많은 막다른 골목(dead-ends)을 제거할 수 있으며, 이는 검색 과정을 효율적으로 만듭니다.

노굿 레코딩은 검색 과정에서 발견된 막다른 골목에 대한 정보를 기록하고, 이 정보를 사용하여 불필요한 경로를 탐색하지 않도록 하는 방법입니다. 이 접근 방식은 검색 공간을 좁혀 해결책을 더 빠르게 찾을 수 있게 합니다.

● 백점핑(Backjumping)

백점핑은 역추적 검색에서 노굿 레코딩과 함께 사용될 때 효과적인 전략입니다. 백점핑은 문제의 일부가 해결책을 제공하지 않을 때, 문제의 원인이 되는 변수로 직접 "점프"하여 불필요한 검색을 건너뛰는 방법입니다. 이 방법은 검색 과정을 최적화하고, 해결책에 도달하는 시간을 단축합니다.

● 변수 및 값 순서 지정 휴리스틱(Heuristics)

변수 및 값 순서 지정 휴리스틱은 역추적 검색에서 어떤 변수를 다음에 분기할지, 그리고 변수에 어떤 값을 할당할지 결정하는 데 사용됩니다. 이 휴리스틱은 검색 과정을 가이드하고, 해결책을 더 효율적으로 찾는 데 도움을 줍니다. 가장 일반적인 전략은 도메인 크기가 가장 작은 변수를 우선적으로 선택하는 것입니다.

● 무작위화 및 재시작 전략(Randomization and Restart Strategies)

무작위화 및 재시작 전략은 역추적 검색의 성능을 개선하기 위해 사용됩니다. 이 전략은 검색 과정에서 발생할 수 있는 오류를 줄이고, 검색 공간을 다양하게 탐색하여 해결책을 더 빠르게 찾을 수 있도록 합니다. 재시작 전략은 검색이 일정 시간 동안 해결책을 찾지 못하면 초기 상태에서 검색을 다시 시작하는 것을 의미합니다.

● 로컬 검색(Local Search)

로컬 검색은 전체 할당을 나타내는 검색 그래프를 탐색하여 CSP의 해결책을 찾는 방법입니다. 로컬 검색은 비용 함수와 이웃 함수를 사용하여 검색 공간을 탐색하며, 최적의 해 또는 근사 해를 찾는 데 사용됩니다. 로컬 검색은 빠르게 해결책을 찾을 수 있지만, 항상 글로벌 최적 해를 보장하지는 않습니다.

로컬 검색을 통해 발견된 해결책의 효율성과 효과를 높이기 위한 전략으로는 다중 시작, 시뮬레이션 어닐링, 금기 탐색 등이 있습니다. 이러한 전략은 로컬 최소값에서 벗어나 더 좋은 해결책을 찾는 데 도움을 줍니다.

제약 충족 문제를 해결하는 데 있어서 역추적 검색과 로컬 검색은 각각의 장단점을 가지고 있으며, 문제의 특성과 요구 사항에 따라 적절한 방법을 선택하는 것이 중요합니다.

4.3.3 하이브리드 방법론

문제 해결을 위해 두 가지 이상의 서로 다른 접근 방식을 혼합하는 과정을 하이브리드 접근법이라고 합니다. 로컬 검색 방법과 체계적 검색 방법의 결합이 흥미로운 하이브리드 방식을 제공하지만, 가장 유망한 하이브리드 접근 방식 중 일부는 인공지능(AI)과 운영 연구(OR) 기술을 결합한 것입니다.

선형 프로그래밍(Linear Programming, LP)은 운영 연구 분야에서 매우 성공적인 기법으로, 연속 변수에 대한 선형 부등식을 사용하여 문제를 모델링할 수 있을 때, LP 기법이 제약 프로그래밍(Constraint Programming, CP) 접근 방식보다 우수할 수 있습니다.

CP 문제에 선형 프로그래밍을 통합하는 일반적인 방법 중 하나는 문제의 일부 요소를 완화하여 선형화된 CP 문제를 생성하는 것입니다. 이러한 완화는 결정 변수의 적분 요구 사항을 완화하거나 제약 조건의 엄격성을 줄이는 형태를 취할 수 있습니다. 전역 제약 조건 예로는 모두 다른(all-different), 회로(circuit), 누적(cumulative) 제약 조건 등이 있습니다. 이러한 완화된 문제는 LP 솔버에 의해 처리될 수 있으며, LP 방법은 검색을 유도하고 도메인을 축소하는 데 다양하게 활용될 수 있습니다.

LP 솔루션이 완전하지 않더라도, 이를 기반으로 직접 검색을 수행할 수 있으며, LP 솔버는 문제를 보다 글로벌한 관점에서 볼 수 있는 장점을 제공합니다. 분기 및 가격 책정 (branch-and-price)과 벤더 분해(Benders decomposition) 는 OR 방법론으로서 CP와 함께 사용되어 온 두 가지 잘 알려진 기법입니다. CP를 사용하여 열(column)을 생성하고 동적으로 검색에 추가할 변수를 찾거나, 벤더의 분해를 적용하여 추가 제약 조건(노굿)을 형성함으로써 행(row)을 생성할 수 있습니다. 이러한 하이브리드 기법은 CP나 OR만으로는 해결하기 어려운 복잡한 문제를 처리할 수 있게 해줍니다.

4.4 추적 가능성

제약 충족 문제는 NP-완전 문제로, 일반적으로 해결하기 어렵습니다. 그러나 특정 유형의 제약 충족 문제는 다항 시간 내에 해결할 수 있는 추적 가능한(tractable) 클래스에 속합니다. 이러한 추적 가능한 클래스를 식별하기 위한 연구가 상당히 진행되었습니다.

4.4.1 추적 가능한 제약 조건 언어

제약 조건 언어의 추적 가능성에 대한 연구는 제한된 제약 조건 관계 언어로 구성할 수 있는 문제 인스턴스에 초점을 맞춥니다. 예를 들어, '다르다' 관계만을 사용하여 구성할 수 있는 문제는 k색 지정 문제로 이어질 수 있으며, 이는 다항 시간 내에 해결 가능합니다.

4.4.2 추적 가능한 제약 조건 그래프

제약 조건 그래프의 구조에 따라 문제의 추적 가능성이 달라질 수 있습니다. 예를 들어, 트리 구조를 기반으로 하는 이진 제약 조건 네트워크는 선형 시간 내에 해결될 수 있습니다. 제약 조건 그래프의 유도 폭(induced width)이 작은 경우, 문제는 효율적으로 해결될 수 있습니다.

제약 조건 프로그래밍과 선형 프로그래밍을 포함한 하이브리드 접근 방식은 복잡한 문제를 해결하는 데 있어 강력한 도구를 제공합니다. 이러한 접근 방식은 문제를 보다 광범위하게 이해하고, 효율적인 해결책을 찾는 데 도움을 줍니다.

4.5 모델링

문제 해결 가능성의 판단에 있어 모델링은 결정적인 역할을
합니다. 제약 프로그래밍(Constraint Programming, CP)을
활용하여 문제를 효과적으로 모델링하는 것은 예술과도 같으
며, 이 과정에서 다양한 중요한 교훈이 도출되었습니다.

4.5.1 CP ∨ ¬CP

문제 모델링의 첫 단계는 제약 프로그래밍이 적합한 접근법
인지, 아니면 수학적 프로그래밍(Mathematical
Programming)이나 시뮬레이션(Simulation) 같은 다른 방법
을 고려해야 하는지 결정하는 것입니다. 문제의 복잡성과 제
약 조건의 명확성에 따라 이 결정은 간단하지 않을 수 있습
니다. 문제가 과도하게 제약되어 있거나, 서로 경쟁하는 목표
(예: 비용, 속도, 품질)가 있을 수 있으므로, 어떤 제약 조건
을 우선시하고 어떤 것을 완화할지 결정해야 합니다.

4.5.2 관점

제약 프로그래밍을 사용하기로 결정한 후, 변수 선택, 가능한 도메인 결정, 적용할 제약 조건 선택이 중요한 단계입니다. 여기서 관점(Perspective)이라는 개념이 중요하게 사용됩니다. 문제에는 다양한 관점에서 접근할 수 있으며, 각 관점은 별도의 모델을 구성할 수 있습니다. 가장 쉽게 제약 조건을 표현할 수 있는 관점을 선택하는 것이 좋습니다. 때로는 여러 관점을 사용하고, 채널링 제약 조건(Channeling Constraints)을 적용하여 관점 간 일관성을 유지하는 것이 유리할 수 있습니다.

4.5.3 대칭

모델링 과정에서 대칭(Symmetry)을 다루는 것은 중요한 부분입니다. 대칭성은 문제의 다양한 요소가 유사하거나 동일할 때 자연스럽게 발생하며, 대칭 솔루션을 방지하기 위한 제약 조건을 추가하거나, 대칭 상태로의 이동을 방지하기 위해 검색 전략을 수정하는 것이 필요할 수 있습니다. 변수 대칭

(Variable Symmetry)과 값 대칭(Value Symmetry)은 대칭의 두 가지 주요 형태입니다. 대칭을 깨는 전략(Breaking Symmetry Strategies)은 대칭 솔루션의 생성을 방지하고 검색 공간을 줄이는 데 도움이 됩니다.

4.6 소프트 제약 조건 및 최적화

모든 제약 조건을 충족하는 실현 가능한 솔루션이 없거나, 모든 솔루션이 동등하게 좋아 보이는 경우가 있습니다. 이러한 상황에서는 일부 제약 조건을 소프트 제약 조건(Soft Constraints)으로 처리하여, 위반을 최소화하는 방향으로 최적화할 수 있습니다. 소프트 제약 조건은 문제의 선호 사항을 모델링하는 데 사용되며, 이를 통해 최적의 솔루션을 찾는 데 도움이 됩니다.

모델링 과정은 문제의 복잡성을 관리하고, 문제를 효과적으로 해결할 수 있는 방식으로 구조화하는 데 중요합니다. 제약 프로그래밍, 소프트 제약 조건, 대칭 처리 방법 등은 모두 문제 해결 과정에서 중요한 역할을 합니다.

4.6.1 소프트 제약 조건 모델링하기

소프트 제약 조건에는 여러 범주가 있으며, 첫 번째로 다루는 것은 퍼지 제약 조건(Fuzzy Constraints)입니다. 퍼지 제약 조건은 퍼지 집합(fuzzy sets)의 개념에 기반하며, 각 요소가 집합 내에서 등급화된 멤버십을 가지는 것을 의미합니다. 이는 변수에 대해 가능한 모든 값의 조합을 순서대로 나열하는 것과 대조됩니다. 퍼지 제약 조건을 사용하면, 제약 조건의 변수에 대해 부분적으로 허용되는 특정 값 조합을 정확하게 표현할 수 있으며, 특정 과제에 필요한 멤버십의 정도가 해당 과제의 참여 결정에 영향을 줄 수 있습니다.

퍼지 제약 조건에서 선호도는 0(완전 거부)에서 1(완전 수락)까지 다양하며, 선호도가 가장 낮은 제약 조건을 기반으로 솔루션의 선호도를 계산하여 솔루션의 선호도를 결정합니다. 이러한 접근 방식은 의료, 우주 산업 등 중요한 애플리케이션에서 중요합니다.

가중 제약 조건(Weighted Constraints)은 각 제약 조건에 특정 페널티 또는 비용을 연결하는 방식으로, 제약 조건 위반 시 부과되는 페널티를 기반으로 합니다. 이는 **MAX-CSP** 문제로, 위반된 제약 조건의 수를 최소화하는 것이 목표입니다.

퍼지 제약 조건, 가능성 제약 조건, 사전적 제약 조건 문제를 가중 제약 조건 문제로 축소하여 해결할 수 있습니다. 이는 가중 제약 조건이 소프트 제약 조건 프레임워크 중 가장 표현력이 풍부하다는 것을 의미합니다.

- **퍼지 제약 조건**: 변수 값의 멤버십 정도를 나타내는 퍼지 집합을 사용합니다.

- **가중 제약 조건**: 제약 조건 위반에 대한 페널티 또는 비용을 부여합니다.

- **사전적 제약 조건**: 모든 선호도 값을 고려하여 솔루션을 평

가합니다.

4.6.2 최적의 솔루션 찾기

분기 및 바운드(Branch and Bound, B&B) 기법은 소프트 제약 조건 문제를 해결하는 데 자연스러운 접근 방식입니다. 깊이 우선 분기 및 바운드(DFBB) 알고리즘은 각 노드에 하한(lb)과 상한(ub)을 유지하며, 하위 트리가 ub보다 낮은 위반 정도의 솔루션을 포함하지 않을 경우 가지치기를 수행합니다.

4.6.3 소프트 제약 조건에서의 추론

소프트 제약 조건 전파는 하드 제약 조건에서와 같이 암시적 제약 조건을 계산하고 추가하는 과정을 포함하지만, 소프트 제약 조건을 추가하면 문제의 의미가 변경될 수 있습니다. 버킷 제거(Bucket Elimination, BE)와 미니 버킷 제거는 소프트 제약 문제에 대한 모든 최적 솔루션을 계산하는 데 사용될 수 있는 완전 추론 기법입니다.

소프트 제약 조건 문제를 해결하는 과정은 복잡하지만, 이를 통해 더 유연하고 실제 문제에 더 적합한 솔루션을 찾을 수 있습니다. 가중치, 사전적 순서, 퍼지 로직을 포함한 다양한 소프트 제약 조건 접근 방식은 문제 해결에 있어 중요한 도구입니다.

4.7 제약 조건 논리 프로그래밍 (Constraint Logic Programming, CLP)

제약 조건을 포함할 수 있는 프로그래밍 환경은 다양하며, 많은 환경에서 이미 이를 활용하고 있습니다. 그러나 일부 환경은 다른 환경보다 특정 작업에 더 적합합니다. 제약 조건을 관계 또는 술어로 간주하고, 이들의 결합을 논리적으로 처리하며, 역추적 검색을 기본 해결 방법으로 사용하는 접근 방식은 논리 프로그래밍과 잘 호환됩니다. 이로 인해 제약 조건 논리 프로그래밍 (CLP)이라는 새로운 프로그래밍 패러다임이 등장했습니다.

4.7.1 논리 프로그램 (Logic Programming, LP)

논리 프로그래밍은 선언적 프로그래밍의 한 형태로, 프로그램이 명령문 대신 특정 제약 언어에 적용되는 공식을 통해 정의됩니다. 이 접근 방식은 함수 프로그래밍과는 달리, 술어 간의 논리적 함의를 다루며, 반복적 프로그래밍이 아닙니다. 논리 프로그램은 논리 이론으로 간주되며, 리터럴의 진리값을 다른 리터럴 집합의 진리값과 연결하는 규칙 모음의 형태를 취합니다.

논리 프로그램을 실행할 때는 특정 주장의 진리 값을 확인하는 목적을 결정해야 하며, 이는 일련의 해결 단계를 통해 이루어집니다. 목표의 일부를 구성하는 리터럴과 규칙의 머리를 연결하여 해결 과정을 진행합니다.

4.7.2 제약 조건 로직을 사용하는 프로그램

논리 프로그래밍에 제약 조건을 적용하려면, 특정 유형의 제약 조건만을 고려하고 이러한 제약 조건을 절의 본문에 포함할 수 있도록 해야 합니다. 이는 기존의 논리 프로그래밍 해결 엔진 외에도 제약 조건 해결 시스템을 필요로 합니다. 이 시스템은 평가 중인 제약 조건이 서로 일치하는지 여부를 검사할 수 있어야 합니다.

4.7.3 LP 및 CLP 언어

최초의 제약 논리 프로그래밍 언어는 프롤로그 II였으며, 이후 다양한 CLP 구현이 개발되었습니다. 예를 들어, 프롤로그 III, CLP(R), CHIP 등이 있으며, 이들은 각각 다른 유형의 제약 조건을 처리할 수 있습니다.

4.7.4 기타 프로그래밍 패러다임

제약 조건은 CLP와 같은 선언적 언어뿐만 아니라, 명령형 언어에서도 라이브러리 형태로 사용될 수 있습니다. 예를 들어, ILOG는 C++ 및 Java 기반의 제약 조건 라이브러리를 제공합니다. 동시 제약 조건 프로그래밍, 고수준 모델링 언어 등 다양한 접근 방식이 제약 조건 문제 해결에 활용됩니다.

4.8 유한 도메인을 넘어서

현실 세계의 문제 해결은 종종 유한 도메인 변수를 넘어서는 경우가 많으며, 제약 조건 프로그래밍은 이제 유한이 아닌 값의 도메인을 처리할 수 있도록 확장되었습니다. 이는 전력 사용량 추론과 같은 문제에서 실수 범위를 포함하는 의사 결정 변수가 필요한 경우에 특히 중요합니다.

제약 조건 프로그래밍의 이러한 확장은 더 복잡하고 현실적인 문제를 해결할 수 있는 능력을 제공합니다. 이는 프로그래밍 패러다임의 발전을 나타내며, 다양한 유형의 문제에 대한 보다 유연하고 효과적인 해결책을 제공합니다.

4.8.1 간격 (Intervals)

연속 변수(Continuous Variables)를 다룰 때, 제약 프로그래밍(Constraint Programming, CP)에서는 종종 간격 (Intervals)을 사용합니다. 연속 변수의 영역을 나타내기 위해 서로 연결되지 않은 간격 모음이 사용됩니다. 실제로, 간격의 한계는 컴퓨터가 해석할 수 있는 실수(Real Numbers)로 표현됩니다. 연속 문제는 다차원 간격 상자 (Multidimensional Interval Boxes)의 유한 집합을 사용하여 해 공간을 커버하는 방식으로 해결됩니다. 분기 및 축소 (Branch and Bound) 알고리즘을 사용하여 이러한 커버링을 찾을 수 있으며, 이는 간격 상자를 분할하고 간격 상자의 크기를 줄이는 방식으로 작동합니다. 최적화 기준이 있는 경우, 바운딩 기법(Bounding Techniques)을 사용하여 목표에 대한 제한을 계산할 수 있습니다.

4.8.2 시간적 문제 (Temporal Problems)

시간 제약 문제(Temporal Constraint Problems)는 연속 제약 문제의 하위 집합으로, 시간의 경과를 설명하기 위해 개별 시점(Point Algebra)과 시간 간격(Interval Algebra)을 사용합니다. Allen은 시간 간격에 대한 제약 조건을 13개의 이진 관계로 표현하는 간격 대수(Interval Algebra, IA)를 제시했습니다. 주어진 간격 제약 조건 집합의 일관성을 결정하는 것은 NP-완전 문제입니다. 점 대수(Point Algebra, PA)는 시점의 순서와 동일성 제한을 사용하는 더 접근하기 쉬운 형태의 대수입니다.

4.8.3 집합 및 기타 데이터 유형 (Sets and Other Data Types)

집합, 다중 집합(Multisets), 문자열(Strings), 그래프 (Graphs) 및 기타 구조화된 객체는 조합 검색 문제를 쉽게 표현할 수 있는 언어입니다. 제약 조건 프로그래밍은 이러한 다양한 데이터 유형을 처리할 수 있도록 발전했습니다. 예를 들어, 집합 변수(Set Variables)는 상한(Upper Bounds)과 하한(Lower Bounds)을 사용하여 설명될 수 있으며, 이는 변수의 범위를 필요한 구성원으로만 제한합니다.

4.9 분산 제약 조건 프로그래밍 (Distributed Constraint Programming)

분산 제약 조건 프로그래밍(Distributed Constraint Programming, DCP)은 여러 개별 에이전트가 제약 조건 생성을 담당하는 경우에 사용됩니다. 분산 알고리즘(Distributed Algorithms)은 탈중앙화된 방식으로 해결책을 찾는 데 사용될 수 있으며, 에이전트들이 서로 메시지를 주고받으며 협력합니다. 비동기 백트래킹(Asynchronous Backtracking)과 분산 동적 프로그래밍(Distributed Dynamic Programming, DPOP)은 분산 환경에서 사용될 수 있는 알고리즘의 예입니다.

요약

- **간격 (Intervals)**: 연속 변수의 영역을 나타내기 위해 사용
되며, 분기 및 축소 알고리즘을 통해 해결됩니다.

- **시간적 문제 (Temporal Problems)**: 시간의 경과를 설명
하기 위해 시점과 시간 간격을 사용하는 문제입니다.

- **집합 및 기타 데이터 유형 (Sets and Other Data
Types)**: 집합, 다중 집합, 문자열 등을 포함한 다양한 데이
터 유형을 처리할 수 있습니다.

- **분산 제약 조건 프로그래밍 (Distributed Constraint
Programming)**: 여러 에이전트가 제약 조건을 생성하고 해결
책을 찾는 분산된 방식입니다.

제약 조건 프로그래밍은 다양한 문제 유형과 데이터 유형을

처리할 수 있는 유연성을 제공하며, 분산 환경에서도 효과적으로 작동할 수 있는 방법론을 포함합니다.

4.10 적용 분야

제약 조건 프로그래밍(Constraint Programming, CP)은 연구, 비즈니스, 제조 및 산업 분야에서 다양한 중요한 응용 분야에서 유용함이 입증되었습니다. 이 섹션에서는 차량 라우팅(Vehicle Routing), 스케줄링(Scheduling), 구성(Configuration) 등 세 가지 일반적인 애플리케이션 분야를 살펴보며, 제약 조건 프로그래밍이 이러한 영역에서 문제 해결책을 찾는 데 자주 선택되는 이유에 대해 논의할 것입니다.

차량 라우팅

차량 라우팅은 차량이 가장 낮은 비용으로 고객을 방문할 수 있는 경로를 구축하는 과정입니다. 차량에는 초과할 수 없는 한계 용량이 있으며, 고객은 배송이 승인되는 시간 간격을 선택할 수 있습니다. 차량 라우팅 문제에 대한 제약 프로그래밍 접근 방식의 연구는 대체 제약 모델과 추가 암시적 제약을 개발하여 제약 전파를 통한 가지치기 양을 증가시키는 데 중점을 두었습니다. 제약 조건 프로그래밍은 현실 세계의 제한 사항이나 측면 제약 조건을 고려할 수 있기 때문에 차량의 가장 효율적인 경로를 결정하는 데 효과적입니다.

스케줄링

스케줄링은 비용 함수의 값을 최소화하는 목표를 달성하기 위해 일련의 활동에 자원을 할당하는 프로세스입니다. 스케줄링은 공항에서 들어오는 비행기에 게이트를 할당하거나, 조립 라인에 직원을 할당하거나, 중앙 처리 장치(CPU)에 작업을 할당하는 등 다양한 설정에서 필요합니다. 스케줄링에 제약 프로그래밍 접근 방식을 사용하는 주요 목적은 일반성을 달성하면서 부수적인 제약 조건을 원활하게 처리할 수 있는 능력을 유지하는 것입니다. 전역 제약 조건, 에지 찾기 제약 조건, 타임테이블 제약 조건과 같은 암시적 제약 조건을 개선하기 위해 많은 노력이 기울여졌습니다.

구성

구성은 사용 가능한 옵션 카탈로그에서 구성 요소를 선택하여 맞춤형 시스템을 설계하거나 사용자 지정하는 프로세스입니다. 구성은 홈 엔터테인먼트 시스템, 자동차 및 트럭, 휴가 패키지 제작 등 다양한 환경에서 이루어질 수 있습니다. 제약 조건 프로그래밍은 모델링의 유연성과 제약 모델의 선언성 덕분에 구성과 잘 작동하는 접근 방식입니다. 사용자가 일련의 선택을 하고 각 선택 후에 시스템이 사용자가 작업할 수 있는 새로운 제약 조건 집합을 생성하는 대화형 구성을 수행할 수 있는 기능은 제약 조건 프로그래밍의 중요한 장점 중 하나입니다.

5.1 실존 그래프에서 개념 그래프까지

입력되거나 정렬되는 로직의 형태는 그림 5.1에 표시된 개념 그래프(Conceptual Graphs, CG)로 표현할 수 있습니다. 이 그래프는 네 가지 아이디어(Person, Go, Boston, Bus)를 유형 레이블로 할당하여 각각의 엔티티 범주를 지정합니다. John과 Boston은 참조 대상을 식별하는 이름을 가진 아이디어입니다. 세 가지 서로 다른 개념 관계(에이전트[Agnt], 목적지[Dest], 도구[Instrument][Inst])는 이러한 아이디어들 사이의 관계를 명확하게 합니다. 이러한 문맥에서 John은 이동하는 사람, Boston은 목적지, 버스는 이동 도구로 해석됩니다.

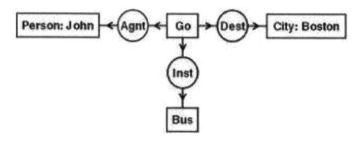

그림 5.1 버스를 타고 보스턴으로 가는 John의 CG 표시 형식

그림 5.1에서 도출된 수학적 표현은 접속사와 실존 수량자를 사용합니다. 이는 초기 시맨틱 네트워크에서 주로 사용된 논리 연산자입니다.

프레게(Gottlob Frege)는 그의 작업 "Begriffsschrift"에서 단언, 부정, 암시, 범용 수량자를 포함한 네 가지 기본 연산자를 사용하여 완전한 일차 논리를 제시했습니다. 그림 5.2는 프레게의 이론을 기반으로 한 베그리프스키트를 나타냅니다. 프레게의 접근법은 논리적 추론을 단순화했지만, 일부 문제의 정확한 번역에 어려움을 겪었습니다.

피어스(Charles Sanders Peirce)는 관계 그래프를 사용하여 논리를 시각적으로 표현하는 방법을 탐구했습니다. 그의 그래프는 실존적 수량자와 기본적으로 사용되는 부울 연산자를 포함합니다. 피어스의 접근법은 이름을 모나드 술어로 표현할 수 있게 하여 고유명사와 일반명사를 구분하지 않았습니다.

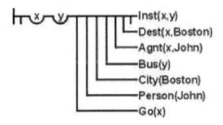

그림 5.2 버스를 타고 보스턴으로 가는
존을 위한 프레게의 베그리프스키프트.

그림 5.3은 피어스의 관계 그래프를 나타냅니다. 이 그래프는 실존적 수량자와 부울 연산자를 사용하여 관계를 표현합니다. 피어스는 다양한 그래픽 방법을 실험했지만, 수량자와 부정의 범위를 표현하는 효과적인 방법을 찾지 못했습니다.

그림 5.4는 농부와 당나귀에 관한 EG와 CG를 비교하여 보여줍니다. 이 그림은 EG와 CG 사이의 주요 차이점을 강조합니다. CG에서는 아이디어 상자가 실존적 수량자를 나타내고, 호는 관계 노드와 해당 인수를 연결합니다. EG에서는 각 정체성의 선이 실존적으로 정량화된 변수를 나타냅니다.

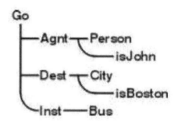

그림 5.3 피어스의 관계형
그래프에서 John을 나타내는
노드는 보스턴으로 향하는 버스임.

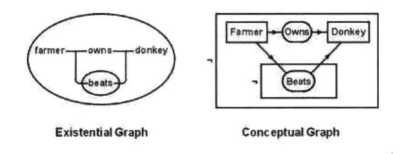

Existential Graph　　　　**Conceptual Graph**

그림 5.4 "농부가 당나귀를 가지고 있다면 당나귀가 구타당할 것이
확실하다"에 대한 EG와 CG.

그림 5.5와 5.6은 EG, CG, DRS의 비교와 개념 그래프의
다양한 응용을 보여줍니다. 이 그림들은 개념 그래프가 어떻
게 실존적 수량자, 부정, 암시 등을 표현하는 데 사용될 수
있는지를 설명합니다.

이 섹션에서 논의된 EG와 CG에 적용할 수 있는 모델 이론
적 의미론은 공통 논리(Common Logic, CL)에 대한 ISO
표준에 요약되어 있습니다. CGIF(Conceptual Graph
Interchange Format)는 그래프의 모든 의미적 특징을 캡슐

화하는 선형 표기법입니다. CG에 대한 표준 형성 규칙과 피어스의 추론 규칙을 사용하여 완전한 일차 논리를 생성하는 방법이 설명됩니다.

개념 그래프 이론과 표기법의 다양한 공식적, 비공식적 확장은 연구 문제에 영감을 주었으며, 이는 개념 그래프 이론과 표기법의 발전을 촉진했습니다.

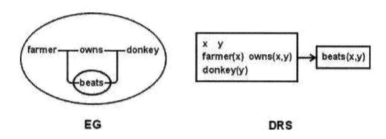

그림 5.5 "농부가 당나귀를 가지고 있는데 당나귀를 때리면 농부의 책임이다"라는 문장에 대한 EG와 DRS.

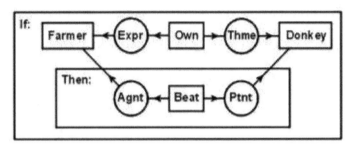

그림 5.6 대소문자 관계가 명확하게 표시된 CG

5.2 공통 논리 (Common Logic, CL)

공통 논리(Common Logic, CL)는 개념 그래프(Conceptual Graphs)와 지식 교환 형식(Knowledge Interchange Format)에 대한 ANSI 표준을 수립하기 위해 진행되었던 두 개의 독립적인 프로젝트가 합쳐져 탄생한 결과물입니다. 이 두 이니셔티브는 공통 논리(Common Logic, CL)를 창출하기 위해 병렬적으로 진행되었으며, 결국 하나의 ISO 프로젝트로 통합되어 논리 기반 표기법의 제품군에 대한 모델 이론적 기반과 공통 추상 구문을 개발하게 되었습니다. 이는 이전의 두 프로젝트를 통합하여 달성된 것입니다.

Hayes와 Menzel은 CL을 위한 매우 광범위한 모델 이론 (Model Theory)을 개발하였습니다. Hayes와 McBride는 이 이론을 적용하여 RDF(S)와 OWL 언어에 대한 의미를 제공하였습니다. Hayes와 Menzel 또한 CL에 대한 매우 일반적인 모델 이론을 확립하였습니다.

CL의 의미를 설명할 수 있는 실제 방언(Dialect)은 세 가지가 있습니다.

- 공통 논리 교환 형식(Common Logic Interchange Format, CLIF), 개념 그래프 교환 형식(Conceptual Graph Interchange Format, CGIF), 그리고 CL에 대한 XML 기반 표기법입니다. 추상 구문과 모델 이론을 넘어, CL 표준은 이 다양한 방언들에 대한 요구 사항을 명시하고 있습니다. 그러나 이 중 일부만이 RDF 또는 OWL로 다시 변환될 수 있습니다.

- RDF 또는 OWL로 작성된 모든 문장은 CLIF, CGIF, 또

는 XCL로 변환될 수 있으나, 이 중 일부만이 다시 RDF 또는 OWL로 변환될 수 있습니다. RDF와 OWL은 CL의 의미론의 특정 부분을 나타내는 방언으로 간주될 수 있습니다.

- CL 구문에서, 수량화자(Quantifiers)는 함수와 관계를 아우르며 다양할 수 있지만, 이 언어는 모델 이론과 증명 이론에서 일차적(First-order) 접근을 유지합니다. 고차 의미론(Higher-order Semantics)의 계산 복잡성을 피하기 위해, CL 모델 이론은 개인, 기능, 및 관계를 포함하는 단일 도메인 D를 사용합니다. Quine은 정량화 영역을 단일 집합으로 제한할 수 있는 가능성을 제시하였으며, 이는 이후 다양한 정리 증명기에서 구현되어 정량화자가 관계에 걸쳐 범위를 지정할 수 있게 되었습니다. 그러나 Quine의 제안은 회의론에 부딪혔고, 그 타당성을 설득하는 데 실패하였습니다.

피어스의 유형화되지 않은 실존 그래프(Existential Graphs)는 CL의 전체 의미를 설명하기에 충분히 넓지만, 개념 그래프는 1976년 처음 출판된 이래로 유형화된 논리 형식이었습니다. ISO 표준은 개념 그래프 교환 형식에 대해 한 가지가 아닌 두 가지 버전을 정의하고 있습니다.

CGIF의 핵심은 유형을 활용하지 않으면서도 CL의 전체 의미를 전달하는 논리 형식입니다. 이 방언은 피어스의 실존 그래프와 완벽하게 호환되며, 접속사, 부정, 실존 수량화자만이 기본 요소로 사용됩니다. 확장된 CGIF는 범용 수량화자, 유형 레이블을 사용한 수량화자의 범위 제한, 부울 컨텍스트 내의 유형 레이블(If, Then, Either, Or, Equivalence, Iff) 및 외부 텍스트를 모든 CGIF 텍스트로 가져오는 옵션을 추가한 상향 호환성 수정 코어입니다.

CGIF는 입력 언어이긴 하지만, 유형 레이블은 수량 지정자의 범위를 제한하는 데만 사용되므로 강력한 입력 언어는 아닙니다. 고도로 타이핑된 논리 Z와는 달리, CGIF에서는 유형이 불일치해도 구문 오류가 발생하지 않습니다. 대신, 불일치가 발생하는 하위 표현식이 잘못된 값으로 평가되도록 합니다. Z로 작성된 구문을 CGIF로 번역하면 두 언어에서 동일한 진실 값을 갖게 됩니다. 이 CGIF 문장은 23번이 코끼리가 아니라고 주장하며, 문법적으로 결함이 없고 의미적으로 참입니다. 반면에 Z로 번역하면 유형 불일치로 인해 문법적 오류가 발생합니다.

CGIF에서 실존적 수량화자는 대부분의 경우 개념 노드로 표현됩니다. 그래프에서 [*x]와 같은 노드는 EG 그래프에서 [*x] 관계에 연결된 노드와 동일한 정체성을 가집니다. 개념 노드에 이름을 부여하는 것은 허용되지만, 대부분의 경우 연결 노드에도 이름을 부여할 수 있으므로 필수적이지 않습니다.

CGIF에서 x와 y와 같은 레이블은 노드 간의 연결을 나타내지만, CLIF와 술어 계산에서는 변수를 나타냅니다. CGIF 문장은 특정 방식으로 정렬되지 않은 노드들의 모음이며, 항목이 컨텍스트 괄호로 그룹화되지 않는 한, 목록을 원하는 방식으로 자유롭게 재정렬할 수 있습니다. 연산자 및 모든 컨텍스트에서 노드의 연결은 암시적이므로 CGIF에는 나타나지 않습니다. 이는 괄호의 총 개수를 줄이는 효과를 가집니다.

이와 같이 공통 논리(Common Logic, CL)는 개념 그래프와 지식 교환 형식의 표준화를 위해 개발된 중요한 프레임워크입니다. 그것은 다양한 방언을 통해 지식의 표현과 교환을 가능하게 하며, 이는 지식 기반 시스템의 상호 운용성을 크게 향상시킵니다.

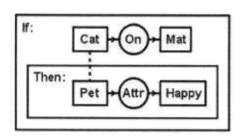

그림 5.7 고양이는 매트 위에 누워
있을 때 만족스러운 반려동물이라는
격언을 CG로 표현한 이미지.

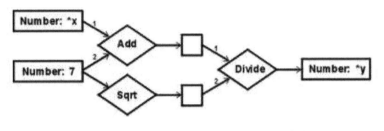

그림 5.8 액터 노드는 CL 함수의 표현임.

CLIF에서의 함수 표기법과 확장 CGIF

CLIF(Common Logic Interchange Format)에서 사용되는 함수 표기법은 연결을 직접적으로 나타내기 때문에, 핵심 참조 레이블(*u 및 *v)을 나타내기 위해 별도의 CLIF 변수가 필요하지 않습니다. 이는 CLIF의 표현력을 강조하는 부분입니다.

확장 CGIF(Conceptual Graph Interchange Format)는 CLIF 표준과 달리, 액터(Actor)가 단일 출력 대신 여러 출력을 가질 수 있도록 합니다. 이는 Apple에 의해 개발된 확장 기능으로, IntegerDivide 유형의 액터가 x와 7이라는 두 개의 숫자를 입력으로 받아 몫(u)과 나머지(v)를 출력으로 생성하는 예를 들 수 있습니다.

이 액터를 코어 CGIF 또는 CLIF로 변환할 경우, 액터의 입력과 출력 사이에 존재했던 구분이 사라지고, 대신 네 개의 매개변수를 가진 일반적인 관계로 대체됩니다. 이 변환 과정에서 IntegerDivide 유형의 액터와 논리적으로 동등한 Quotient 및 Remainder 함수를 주장하는 CGIF 문장이 생성됩니다. 이는 마지막 두 인자가 이전 두 인자에 기능적으로 종속된다는 제약 조건을 명시하는 어설션을 통해 나타납니다.

CGIF와 CLIF의 논리적 동등성

CGIF와 CLIF의 표현 방식은 서로 다르지만, 논리적으로 동등한 정보를 전달할 수 있습니다. 예를 들어, "밥과 수는 연결되어 있다"는 관계를 정량화하는 방식은 두 형식에서 다르게 표현될 수 있으나, 의미상으로는 동일합니다. 이는 CL 표준이 다양한 방언 간의 상호 변환 가능성을 보장하는 요구 사항을 포함하고 있기 때문에 가능합니다.

CL의 다양한 언어 및 표기법과의 상호운용성

Common Logic은 다양한 논리 기반 언어 및 표기법을 포괄하는 상위 집합으로서, 일차 논리(First-order Logic)에 대한 표준 술어-계산 표기법을 포함합니다. CL의 목표는 의미론적 수준에서 충분히 광범위한 상호 운용성을 제공하는 것으로, 이를 통해 개념 그래프, 술어 미적분학(Predicate Calculus), 시맨틱 웹의 언어 등 서로 다른 표기법도 공통의 의미 기반을 가진 방언으로 해석되고 관리될 수 있습니다.

CL과 다른 언어들의 상호 변환 가능성

CL은 SQL, Prolog, UML 등 다양한 언어와 표기법으로의 변환을 지원하여, 이들 언어의 의미적 무결성을 유지하면서 CL의 의미론적 프레임워크 내에서 표현할 수 있습니다. 이는 CL이 다양한 형태의 논리적 표현과 프로그램 구성을 위한 언어로서의 유연성과 확장성을 갖추고 있음을 보여줍니다.

결론

공통 논리(Common Logic) 프로젝트의 궁극적인 목표는 다양한 형태의 구문과 의미론적 표현을 넘어서, 상호 운용 가능한 의미론적 기반을 제공하는 것입니다. 이를 통해, CL은 논리 기반 언어 및 표기법의 상호 변환 가능성과 함께, 다양한 언어와 표기법 간의 의미적 연결고리를 제공하는 중요한 역할을 수행합니다.

5.3 그래프를 이용한 추론

그래프를 이용한 추론은 인간적인 측면과 계산의 효율성 측면에서 선형 표기법에 비해 특정 이점을 제공합니다. CGIF(Conceptual Graph Interchange Format) 및 CLIF(Common Logic Interchange Format)와 같은 선형 표기법에서는 파악하기 어려운 관계를 그래프를 통해 한눈에 쉽게 이해할 수 있습니다. 그래프는 추론, 검색, 인덱싱, 패턴 매칭 등 다양한 작업을 단순화하는 규칙적인 구조를 가지고 있습니다. 그러나 그래프의 이러한 구조적 특성은 인공지능 연구에서 상대적으로 무시되어 왔으며, 유기화학 분야가 그래프의 표현, 색인화, 조작에 관한 최첨단 연구의 원천이 되었습니다. 피어스(Charles Sanders Peirce)는 논리적 그래프와 화학적 그래프 사이의 유사성을 최초로 인식한 인물로, 그는 화학 학사 학위를 보유하고 있었습니다.

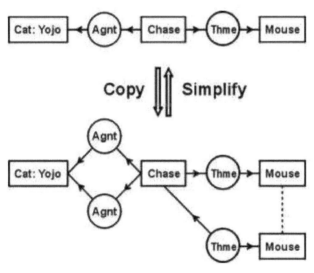

그림 5.9 규칙 복사 및 단순화.

피어스는 실존 그래프를 사용하여 "논리의 원자와 분자"를 설명하려 했으며, 이를 위해 "원자가"(valency)라는 용어를 도입했습니다. 레빈슨과 엘리스는 화학 그래프용으로 설계된 방법을 개념 그래프에 적용하여 대수적 시간 내에 검색 및 분류가 가능한 최초의 유형 계층 구조를 구축했습니다. 이러한 알고리즘은 화학 그래프 분야의 최신 연구 결과를 통합하여 화학 그래프 간의 의미적 거리를 결정하는 계산 방법을 개발했습니다.

의미론에 중점을 둔 그래프 기반 연산자

의미론에 중점을 둔 그래프 기반 연산자의 예로는 표준 형성 규칙이 있습니다. 이 규칙은 쿼리에 대한 응답 제공이나 비교와 같은 의미론적 활동을 투영과 최대 조인이라는 원칙의 조합을 통해 수행합니다.

그래프 변환 규칙

1. **동등성(Equivalence)**: 동등성 기준은 복사 및 단순화 등 다양한 형태를 취할 수 있습니다. 이 규칙을 적용하면 논리적으로 동일한 새 그래프가 생성됩니다.

2. **전문화(Specialization)**: 전문화는 조인과 제한과 같은 규칙을 포함합니다. 이 원칙이 적용되면 결과로 간주될 수 있는 모델의 수가 점진적으로 감소합니다.

3. **일반화(Generalization)**: 일반화 원칙은 분리 및 제한 해제와 같은 규칙을 포함하며, 적용 시 참인 다른 모델의 수가 증가합니다.

각 규칙에는 원래 규칙의 효과를 되돌리기 위해 사용할 수 있는 반대 규칙이 있습니다. 이는 복잡한 논리적 구조를 간소화하고, 불필요한 복제를 제거하는 데 도움이 됩니다.

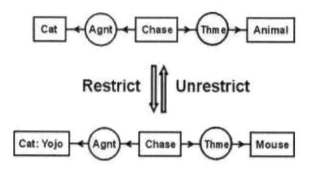

그림 5.10 제한 및 비제한 규칙

그래프를 이용한 시각적 추론

그래프를 이용한 추론은 시각적인 특성을 지니고 있어, 설명하기보다는 시각적으로 표현하는 것이 더 효과적입니다. 접속사와 실존 수량자만을 사용하는 기본 그래프를 통해 이러한 아이디어를 설명할 수 있으며, 부정을 관리하기 위한 규칙을 추가함으로써 동등성을 가진 일차 논리에 대한 전체 증명 절차를 제공할 수 있습니다.

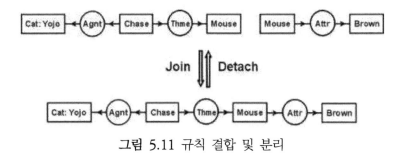

그림 5.11 규칙 결합 및 분리

결론

그래프를 이용한 추론은 복잡한 논리적 관계와 구조를 효율적으로 표현하고 이해할 수 있는 강력한 도구입니다. 그래프 기반의 접근 방식은 논리적 추론, 데이터 분석, 인공지능 연구 등 다양한 분야에서 유용하게 활용될 수 있으며, 피어스의 초기 작업부터 현대의 유기화학 연구에 이르기까지 그 가치가 입증되었습니다.

그래프를 이용한 추론 규칙의 확장

이 섹션에서는 피어스의 그래프를 이용한 추론 규칙을 확장하고, 이러한 규칙이 어떻게 명제 논리와 일차 논리

(First-order Logic, FOL)에 적용될 수 있는지 설명합니다. 이 규칙들은 그래프를 추가하고 제거하는 데 사용되며, 고독한 공리(solitary axiom)인 빈 그래프의 개념을 중심으로 전개됩니다.

그래프 추가 및 제거 규칙

- I 집합:그래프를 추가하는 규칙을 포함합니다.
- E 집합:문서에서 그래프를 제거하는 규칙을 포함합니다.
- 빈 그래프:노드가 없는 그래프로, 모든 다른 그래프의 일반화로 간주됩니다.

피어스의 원칙 재해석

전문화와 일반화:피어스의 원칙을 전문화와 일반화의 관점에서 재해석합니다. 이는 FOL에서 두 노드 사이의 링크를 추가하거나 삭제하는 프로세스와 관련이 있습니다.

그래프 조작 규칙

- 음수 시나리오 응답:공백을 포함한 모든 그래프 또는 하위 그래프를 특수 그래프 대신 사용할 수 있습니다.

- 일반화 대체:상황에 적합한 경우, 그래프 또는 하위 그래프는 일반화로 대체될 수 있습니다.

- 복제:문맥 c에서 발견된 모든 그래프 또는 하위 그래프는 동일한 문맥 c 또는 c에 중첩된 모든 문맥으로 복제될 수 있습니다.

- 즉시 제거:규칙 2(i)에 따라 생성된 그래프 또는 하위 그래프는 즉시 제거될 수 있습니다.

- 이중 부정:이중 부정은 모든 그래프, 하위 그래프 또는 그래프 모음에 적용될 수 있으며, 이중 부정이 발생하는 모든 문장은 제거될 수 있습니다.

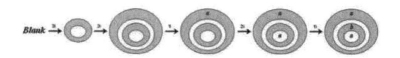

그림 5.12 피어스의 규칙은 프레게의 첫 번째 공리가 옳다는
증거를 제공합니다.

피어스의 규칙과 프레게의 공리

피어스의 규칙은 프레게의 첫 번째 공리가 옳다는 증거를 제
공합니다. 이러한 규칙의 구체적인 반복은 피어스의 실존 그
래프에 대한 강의에서 동기를 얻었습니다. CGIF에 이 규칙을
적용할 경우, 핵심 참조 레이블의 이름을 변경하거나, 바인딩
된 레이블을 정의 레이블로 변환하는 등의 수정이 필요할 수
있습니다.

피어스의 원리와 FOL

피어스의 원리는 FOL과 관련된 모든 공리와 추론 규칙을 증
명하는 데 사용될 수 있습니다. 이는 피어스의 원칙이 FOL의
기초를 형성한다는 사실을 강조합니다.

예를 들어, 프레게의 첫 번째 가정을 피어스-페아노 표기법으로 표현하면 (b a)로 표현됩니다. 피어스의 원리를 사용한 증명은 그림 5.12에 나와 있습니다.

그림 5.13 모더스 포넨스의 증명.

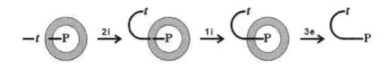

그림 5.14 보편적 인스턴스화의 증명.

프레게가 개발한 또 다른 추론 규칙은 보편적 인스턴스화 규칙이라고 불립니다. 이 규칙은 (x)P. (x) 유형의 문에서 모든 용어 t를 전역적으로 정량화된 변수로 대체할 수 있음을 나타냅니다.

EG에서 용어 t는 조건 t를 만족하는 어떤 것이 존재한다는 것을 나타내는 -t 형식의 그래프로 표현되며, 보편적 수량화자는 가장 바깥쪽 부분(실존적 수량화자)이 음의 영역에 있는 선인 부정적 실존에 해당합니다.

이 두 문장은 모두 조건 t를 만족하는 무언가가 존재한다는 것을 암시하며, 용어 t는 그래프로 표현됩니다. 이로부터 이 세상에는 조건 t를 충족하는 모든 것이 존재한다고 추론할 수 있습니다. 그래프에는 변수가 포함되지 않으므로 그래프 분석에 치환 개념을 사용할 수 없습니다.

대신, 그림 5.14의 유사 기호로 표시된 작업은 두 선을 결합하여 수행됩니다.

실존적 수량화자 [*x]의 범위 내에 보편적인 @every*y가 포함되는 것은 트리의 마지막 노드를 둘러싸는 추가 괄호로 보장됩니다. 따라서 4번 줄의 생성은 범용 인스턴스화 규칙을 파생 규칙으로 사용하여 한 단계로 수행할 수 있습니다. 모든 노드를 제거한 후에는 최종 노드를 둘러싸고 있던 괄호가 더 이상 필요하지 않으므로 제거할 수 있습니다.

증명 예시
모더스 포넨스(Modus Ponens)의 증명: 모더스 포넨스의 증명은 논리적 추론의 기본 형태 중 하나입니다.

라이프니츠는 이 정리를 프레클라룸의 정리(화려한 정리)라고 불렀습니다. 이 정리는 명제 논리학의 마지막 정리이자 가장 어려운 정리 중 하나로, 5개의 불명확한 공리 도식으로 시작하여 총 43개의 단계를 거쳐야 합니다. 명제 논리에서 가장 어려운 정리 중 하나로 간주됩니다. 또한 명제 논리에서 가장 중요한 정리 중 하나로 간주됩니다.

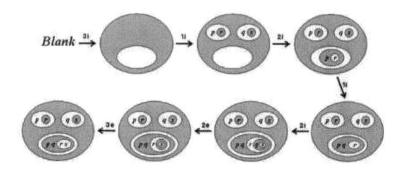

그림 5.15 프린키피아의 43단계와 대조되는 7단계 증명

이 정리는 피어스의 원리를 사용하여 빈 종이를 시작점으로 하여 7단계만 거치면 증명할 수 있습니다(그림 5.15). 정리의 진술 역할을 하는 최종 그래프는 증명의 각 단계에서 이전 그래프에 추가되거나 제거됩니다.

단 네 단계만 거치면 그래프는 사실상 의도한 결론을 정확하게 표현하지만, 그럼에도 불구하고 중심에 가장 가까운 영역에는 단 하나의 s가 빠져 있습니다. 이 영역에는 양수 값이 포함되어 있기 때문에 s를 똑바로 삽입하는 것은 허용되지 않습니다. 반면에 규칙 2(i)는 q와 s의 관계를 나타내는 그래프를 복제합니다. 규칙 2(e)에 따르면 다음 방법은 원하지 않는 q의 복사본을 삭제합니다. 마지막으로 결론에 도달하기 위해 규칙 3(e)는 이중 부정을 제거합니다.

보편적 인스턴스화(Universal Instantiation)의 증명: 보편적 인스턴스화 규칙은 모든 용어를 전역적으로 정량화된 변수로 대체할 수 있음을 나타냅니다.

피어스의 추론 원리의 응용

피어스의 추론 원리는 자연어 처리, 공식적 추론, 비공식적 추론 등 다양한 분야에서 응용될 수 있습니다. 이 원리는 스튜어트에 의해 EG에 대한 일차 정리 증명자로 프로그래밍되었으며, 해결 정리 증명자와 동등한 수준의 성능을 보였습니다.

결론

피어스의 그래프를 이용한 추론 규칙은 명제 논리와 일차 논리에 광범위하게 적용될 수 있으며, 추론 과정을 단순화하고 효율화하는 데 기여합니다. 이러한 규칙은 논리적 구조를 이해하고 조작하는 데 있어 중요한 도구로 작용하며, 다양한 분야에서의 응용 가능성을 제시합니다.

5.4 명제, 상황 및 메타언어

자연어는 형식적 언어나 논리로 표현할 수 있는 모든 것을 선언할 수 있는 매우 표현력이 뛰어난 시스템입니다. 자연어는 심지어 자신에 대한 메타 수준의 설명, 다른 언어와의 연결 및 이러한 종류의 발언의 진실을 전달할 수도 있습니다. 이러한 표현 능력은 모순과 역설을 쉽게 낳을 수 있으며, 대부분의 공식 언어에서는 이러한 역설을 화자의 표현 능력에 제한을 가함으로써 피할 수 있습니다. 예를 들어, Common Logic(CL)은 모든 CL 방언의 구문을 따옴표로 묶은 문자열로 표현할 수 있으며, 이러한 표현을 포함한 문자열의 구문 구조를 정의할 수 있지만, CL에는 이러한 문자열을 문장으로 취급하고 그 안에 포함된 하위 문자열을 관련 CL 이름에 연결할 수 있는 시스템이 없습니다.

언어에 대해 이야기할 때 가장 많이 사용하는 언어는 화용으로서 이는 말하는 사람의 의견, 욕구, 의도와 다른 사람의 의도를 의미합니다. 이러한 언어를 표현하기 위해 개념 그래프와 같은 다양한 논리 및 지식 표현 언어가 사용되어 왔습니다.

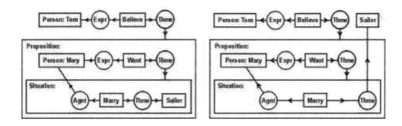

그림 5.16 "톰은 메리가 선원과 결혼하고 싶은 강한 욕망을 가지고 있다는 인상을 받고 있다"는 복문의 개념 그래프

그림 5.16은 톰이 메리가 선원과 결혼하고 싶은 강한 욕망을 가지고 있다는 인상을 받고 있다는 두 가지 다른 해석을 나타냅니다. 이 그림은 동사 '믿다'의 목적어인 믿음이 톰에 의해 소유되고 있음을 나타내며, 중첩된 부정사 구문을 통해 메리의 이해관계를 설명합니다. 이러한 중첩된 절은 각각의 절

과 관련하여 분석 또는 설명을 제공합니다.

명제와 상황의 컨텍스트

명제와 상황 범주의 컨텍스트는 온톨로지 및 논리와 관련된 여러 가지 추가적인 문제를 제기합니다. CL 의미론은 명제와 상황을 포함한 모든 유형의 엔티티를 설명하는 데 사용할 수 있지만, 이를 위한 메커니즘은 포함되어 있지 않습니다. "IKL"은 CL의 상향 호환성 확장으로, 보다 표현력이 풍부한 언어로 간주됩니다. IKL에서는 상황 유형의 실체의 존재를 알리고 이를 명제와 연관시키는 문장을 설정할 수 있으며, 이러한 진술은 다른 명제와 연결될 수도 있습니다.

CGIF와 IKL의 변환

CGIF의 개선된 형태로 기록하여 IKL로 변환하는 과정은 Proposition 또는 Situation 유형의 개념 노드 안에 CG를 스택하는 것으로 시작합니다. 이 형식의 특성상, 다양한 유형의 상황과 다양한 종류의 명제 사이에 존재하는 관계를 의미론에서 훨씬 더 관련성이 높은 문제로 만듭니다. CG 작업

시 자주 사용되는 온톨로지에서는 이러한 연결을 설명 관계 (Dscr)라고 합니다.

명제와 금속 언어

명제를 논의하는 언어의 종류를 금속 언어의 한 형태로 분류하는 것은 가능하지만, 이 범주의 언어는 그 자체로는 논리의 첫 번째 수준을 넘어설 수 없습니다. 타르스키는 각각 완전히 일차적인 일련의 계층화된 메타레벨이 어떻게 역설을 초래하거나 어떤 식으로든 FOL의 의미를 초과하지 않고 사용될 수 있는지를 보여주었습니다.

결론

명제, 상황, 그리고 메타언어에 대한 이러한 분석은 자연어와 형식적 언어 사이의 복잡한 상호작용을 탐구합니다. CL과 IKL 같은 형식적 시스템은 자연어의 표현력을 모델링하고 이해하는 데 중요한 도구이지만, 이러한 시스템이 자연어의 모든 뉘앙스를 완벽하게 포착하는 것은 아닙니다. 명제와 상황을 다루는 과정에서 발생하는 역설과 모순을 해결하기 위해,

형식적 언어는 계속해서 발전하고 새로운 메커니즘을 탐색해야 합니다.

5.5 연구로의 확장

"개념 그래프(Conceptual Graphs)"라는 용어는 수년에 걸쳐 존 소와(John F. Sowa)가 저술한 책에서 사용된 표기법을 포함해서 비슷한 여러 표기법을 가리키는 데 사용됩니다. 이 용어를 사용하는 것은 현재 여러 가지 다른 버전이 있고, 각각이 조금씩 다르게 맞춰져 있다는 것을 의미합니다. 표준화의 목표는 제품과 앱을 만드는 데 안정적이고 믿을 수 있는 기반이 되도록 디자인을 확실하게 하는 것입니다.

디자인 세트는 앱 내부의 혁신에는 도움이 되지만, 플랫폼 자체를 혁신하는 데는 어려움이 있을 수 있습니다. 기초 연구와 앱 개발을 위한 믿을 수 있는 기반을 제공하는 것은 ISO 표준 CG, IKL CG, 연구용 CG를 구별함으로써 가능합니다. 첫 번째와 두 번째는 앱 제작을 위한 강력하고 믿을 수 있는 플랫폼을 제공하는 반면, 세 번째는 연구팀이 특정 앱에 필요한 추가 기능이나 변경 사항을 넣을 수 있게 해주며, 이는 나중에 표준에 포함될 수 있습니다.

자연어 의미를 지원하기 위해서는 대부분의 연구용 CG가 필요합니다. 일부 CG는 아리스토텔레스 시대부터 사용되어 왔지만, 그 적용 의미론에 대한 연구가 해결되지 않아 CL 표준에는 포함되지 않았습니다.

연구 확장 유형 목록

다양한 맥락: 피어스는 타원을 컨텍스트 엔클로저로 확장해서, 부정 이외의 연결도 컨텍스트와 관련될 수 있게 했습니다. 이는 컨텍스트 인클로저 개발로 이어졌습니다.

메타 언어: 컨텍스트 엔클로저의 주요 기능은 그 안에 포함된 그래프를 인용하는 것입니다. 이 메타레벨 구문을 사용하면 계층화된 그래프의 이해를 설명하는 공리로 모든 의미론적 접근을 설명할 수 있습니다.

일반화된 수량화자: 자연어에는 '모든', '일부'와 같은 일반 수량화자 외에도 '정확히 하나', '최소 7개 이상'과 같은 개방형 수량화 표현이 있습니다. 이러한 표현은 퍼지 집합이나 러프 집합과 같은 근사 추론 기법을 사용해서 정의할 수 있습니다.

색인: 피어스는 모든 논리적 진술이 기호의 참조를 정확히 고정하기 위해 적어도 하나의 색인이 필요하다고 주장했습니다. 이는 동적 의미론의 변형을 사용해서 처리할 수 있습니다.

복수 명사: 복수 표현은 언어학 분야에서 여전히 연구 중인 주제입니다. CG에서 복수는 사전에 정의된 표현을 사용합니다.

절차에 대한 첨부 파일: CL 표준은 액터를 엄격한 기능적 관계로만 정의하지만, 많은 구현에서는 액터가 임의의 연산을 나타내는 더 유연한 변형을 허용합니다.

연구 확장 유형 목록

1. 다양한 맥락: 피어스는 타원을 컨텍스트 엔클로저로 확장하여 부정 이외의 연결이 컨텍스트와 관련될 수 있도록 했습니다. 이 일반화는 컨텍스트 인클로저의 개발로 이어졌습니다.

2. 메타 언어: 컨텍스트 엔클로저의 주요 기능은 그 안에 포함된 그래프를 인용하는 것입니다. 이 메타레벨 구문을 사용하면 계층화된 그래프가 어떻게 이해되는지 설명하는 공리로 모든 의미론적 접근 방식을 설명할 수 있습니다.

3. 일반화된 수량화: 자연어에는 '모든', '일부' 등의 일반적인 수량화자 외에도 '정확히 하나', '최소 7개 또는 그 이상'과 같은 개방형 수량화 표현이 있습니다. 이러한 표현은 퍼지 집합이나 러프 집합과 같은 근사 추론 기법을 사용하여 정의될 수 있습니다.

4. 색인: 피어스는 모든 논리적 진술이 기호의 참조를 적절히 고정하기 위해 적어도 하나의 색인이 필요하다고 주장했습니다. 이는 동적 의미론의 변형을 사용하여 처리할 수 있습니다.

5. 복수 명사: 복수 표현은 언어학 분야에서 여전히 연구 중인 주제입니다. CG에서 복수는 사전 정의된 표현을 사용하여 표시되었습니다.

6. 절차에 대한 첨부 파일: CL 표준은 액터를 엄격하게 기능적 관계로 지정하지만, 많은 구현에서는 액터가 임의의 연산을 나타내는 보다 비공식적인 변형을 허용합니다.

연구의 적용의 예

Sonetto 시스템은 비정형 텍스트에서 온톨로지와 비즈니스 규칙을 추출하는 반자동화된 방법을 통해 응용 연구의 좋은 사례를 제공합니다. 이 시스템은 사용자가 주제에 대한 일반적인 이해는 있지만, 프로그래밍이나 지식 엔지니어링에 대한 공식적인 교육을 받지 않은 경우에도 정보 추출 프로세스를 지원합니다.

결론

개념 그래프의 연구 확장은 자연어 의미론 지원부터 복잡한 수량화자, 색인, 복수 명사 처리에 이르기까지 다양한 분야에서 중요한 발전을 가능하게 합니다. 이러한 확장은 기초 연구와 애플리케이션 개발에 중요한 기여를 하며, 표준화 과정에서도 중요한 역할을 합니다. 연구용 CG의 발전은 표준 CG와 IKL CG의 발전과 병행하여, 더 풍부하고 다양한 의미론적 표현의 가능성을 열어줍니다.

6장. 인공지능 휴리스틱 평가를 위한 프로파일링

6.1 소개

우리는 PDDL 휴리스틱을 사용하여 신호 처리의 성능을 측정하고 최적화함으로써 더 높은 성능을 달성하려고 합니다. 이 과정에서 CPU와 GPU에서 실행되는 각 신호 처리 기능의 시간을 정밀하게 측정합니다. 신호 처리 기능이 라이브러리에 추가되고 인프라가 완성되면, 이 기능들의 성능을 분석하여 어떤 하드웨어가 가장 효율적인지 결정할 수 있습니다.

OSPW는 주어진 애플리케이션에 가장 적합한 아키텍처를 결정하는 임무를 맡습니다. 이는 CPU와 GPU가 각 신호 처리 기능을 수행하는 데 필요한 시간을 분석함으로써 이루어집니다. 각 기능의 실행 시간은 타임스탬프를 통해 정밀하게 측정되며, 이를 통해 가장 빠른 아키텍처를 선택할 수 있습니다.

6.2 최적화 파라미터 고려 사항

성능은 모든 환경에서 중요합니다. 실시간으로 측정이 불가능한 경우에도 측정을 완전히 배제하는 것은 바람직하지 않습니다. 따라서 우리는 측정 지연 시간, 즉 신호 처리 시퀀스를 실행하는 데 필요한 시간에 중점을 두었습니다. 빠른 데이터 처리는 출력 대기 시간을 줄이는 데 도움이 됩니다.

GPU는 데이터를 병렬로 처리할 수 있는 반면, CPU는 단일 스레드만을 가집니다. 따라서 데이터를 일괄 처리하면 GPU의 성능을 최대한 활용할 수 있습니다. 메모리, 스토리지 용량, 네트워크 전송 속도, 전력 소비 등 다른 요소들도 중요할 수 있습니다.

메모리 사용량은 쉽게 계산할 수 있으며, 전력 사용량은 컴퓨터 사용이 전체 전력량의 5%를 차지한다는 사실로 인해 중요한 고려 사항이 됩니다. GPU의 전력 소비는 증가하는 추세이지만, AI 계획을 사용하여 전력 효율을 개선하는 것은 흥미로운 논의 주제입니다.

스토리지와 네트워크 속도는 다양한 요소에 의해 영향을 받으므로 평가하기 어렵습니다. SSD의 경우, 저장 장치의 크기가 클수록 성능이 향상됩니다. 네트워크 속도는 네트워크 트래픽 양에 따라 달라질 수 있으며, 현재 10Gbps 이상의 네트워크 연결은 드뭅니다.

요약하자면, 이 책에서는 실시간 처리가 필요하기 때문에 시간(지연 시간)을 주요 비용 함수로 사용합니다. 지연 시간이 중요하지 않은 애플리케이션의 경우, 처리량과 지연 시간을 모두 분석하여 효율성을 결정합니다.

6.3 프로파일링 방법론에 대한 조사

프로파일링 과정을 시작하기 전에, OSPW의 사용자 인터페이스는 필요한 신호 처리 작업을 위해 두 개의 설정 파일을 만듭니다. 이 파일들은 각각 CPU와 GPU 프로파일링을 위해 사용되며, 서로 독립적으로 작동합니다. CPU 설정 파일에는 CPU에서 수행해야 하는 신호 처리 작업 목록이 포함되어 있으며, 대부분의 작업은 단일 스레드에서 실행됩니다(그림 6-1a 참조).

이 작업들은 병렬로 실행될 수 있기 때문에 각각 별도의 스레드에서 동작하며, 각자의 전용 리소스가 필요합니다. GPU 설정은 첫 번째 설정과 다르게, 필요한 모든 데이터를 GPU 메모리에 먼저 로드해야 합니다. 데이터 수정이나 새로운 데이터를 CPU에서 사용하려면, 다시 CPU 메모리로 이동해야 합니다(그림 6-1b 참조).

GPU 설정에는 GPU 커널 실행 전후에 메모리 전송 기능이 포함되어 있어, GPU 코드 실행에 필요한 메모리 전송을 프로파일링할 수 있습니다. 이는 GPU 커널 실행이 빠르더라도 메모리 전송 시간이 길면 전체 GPU 성능이 저하될 수 있기 때문입니다.

GPU에서 프로파일링을 수행할 때, GPU에 해당하는 기능이 없는 모든 함수는 CPU에서 실행됩니다. 이 프로파일링은

GPU 하드웨어가 발견되는 경우에만 수행됩니다.

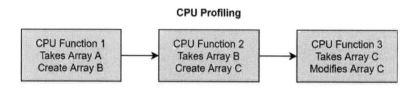

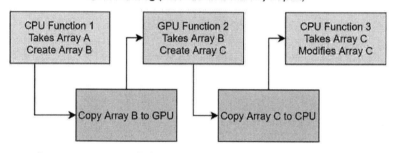

그림 6.1 GPU 프로파일링에 필요한 추가 기능. 세 개의 배열을 예로 들면, 데이터가 올바르게 실행되려면 CPU와 GPU 간에 데이터를 앞뒤로 복사해야 함.

설정 파일을 불러오고 함수 벡터가 준비되면, OSPW는 다양한 모드에서 작동할 수 있습니다(그림 6-2 참조). 시스템이 프로파일 모드인지 확인한 후, 프로파일링할 아키텍처를 결정하고, 해당 아키텍처에 맞는 실행 함수를 호출합니다. 이미 최적의 설정 파일이 생성되었다면, OSPW는 실행 모드에서 작동하여 각 함수 실행 전에 어떤 아키텍처를 사용할지 결정합니다.

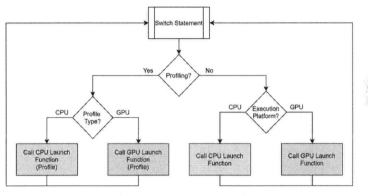

그림 6.2 OSPW 프로파일링 결정 - 최적의 구성이 없으면 프로파일링이 시작됨.

모든 실행 함수가 호출되고 작업 대기열이 설정되면, OSPW는 작업 목록에 대한 반복 작업을 시작합니다. 프로파일링 동안, OSPW는 Windows 성능 카운터로부터 최신 타임스탬프를 요청합니다. 이 타임스탬프는 시스템이 시작된 후 CPU가 수행한 총 틱 수를 나타냅니다.

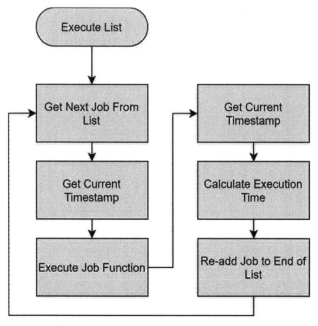

그림 6.3 작업 및 관리 프로파일링의 과정

모든 기능이 프로파일링되면, 두 번째 타임스탬프가 기록되고 두 타임스탬프 사이의 차이가 계산됩니다. 이를 통해 CPU와 GPU가 동일한 작업을 수행하는 데 걸리는 시간을 비교할 수 있습니다.

OSPW는 Windows에서 작동하기 때문에, 함수 실행 시간은 사용할 때마다 다를 수 있습니다. 이는 범용 운영 체제가 동시에 여러 이벤트를 관리하기 때문에 발생합니다. 따라서 작업 완료 시간은 예측하기 어렵습니다.

함수의 여러 반복 실행을 통해 통계적 측정값을 계산함으로써, 불확실한 결과의 수를 제한할 수 있습니다. 프로파일링을 통해 CPU 또는 GPU 중 어느 것이 특정 기능을 가장 빠르게 수행할 수 있는지 확인할 수 있습니다.

그래픽 처리 장치는 사용되지 않는 동안 휴면 상태를 유지할 것으로 예상되므로, GPU의 실행 시간 범위는 CPU보다 낮을 것으로 예상됩니다. 그러나 CPU와 GPU 사이의 데이터 전송을 위해 추가적인 메모리 전송 작업이 필요합니다.

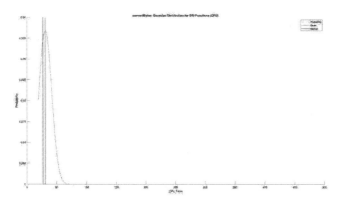

그림 6.4 CPU의 DRI 함수를 나타내는 정규 분포 차트

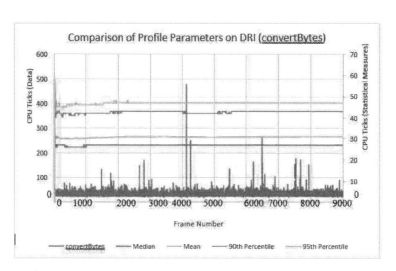

그림 6.5 convertBytes 함수를 사용하여 변환된 DRI 데이터의
통계 분석.

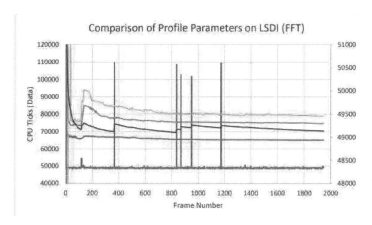

그림 6.6 FFT 함수에 대한 LSDI 데이터의 통계적 계산.

프로파일링 동안, OSPW는 충분한 정보가 수집되었는지 판단하고, 안정적인 중앙값을 지표로 선택합니다. 일정 간격으로 중앙값 계산을 수행하며, 이 값이 안정된 상태에 도달하면 프로파일링 프로세스를 종료할 수 있습니다.

6.4 DRI 및 LSDI에 대한 CPU와 GPU의 비교

이 책에서는 컴퓨터의 중앙 처리 장치(CPU)와 다양한 종류의 그래픽 처리 장치(GPU)에 대해 프로파일링을 수행했습니다. DRI(Distributed Reference Interferometry) 프로파일링에는 인텔 i7-4790 CPU가, LSDI(Large Scale Distributed Interferometry) 프로파일링에는 인텔 i7-7820X CPU가 사용되었습니다. GTX 520(DRI 전용), GTX 650Ti, GTX 780Ti, GTX 1070 모델의 엔비디아 그래픽 카드는 연구에 사용될 수 있는 다양한 하드웨어 리소스를 대표하기 위해 선택되었습니다. 이 그래픽 카드들은 엔비디아의 여러 세대에 걸친 제품을 포함하며, 각 기능의 실행에 필요한 GPU와의 메모리 전송을 포함하여 프로파일링되었습니다.

OSPW의 사용으로 인한 성능 병목 현상의 유무를 파악하기 위해, DRI와 LSDI 모두 독립형 소프트웨어와 비교하여 평가되었습니다.

표 6-1과 그림 6-7은 평가 중인 GPU를 비교합니다. 일반적으로, CUDA 코어가 많고 메모리 속도가 빠르며 부동 소수점 성능이 높을수록 GPU의 성능이 더 우수해야 합니다. 엔비디아의 명명 체계는 세대를 숫자의 첫 번째 자리로, 그래픽 카드의 수준을 다음 숫자로 표시하며, Ti는 일반 카드보다 강력

한 변형을 나타냅니다.

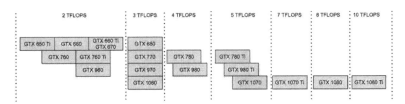

그림 6.7 GPU 카드 성능의 시각적 표현. 녹색으로 강조 표시된 카드는 프로파일링에 사용되었습니다.

GTX 780Ti와 GTX 1070 비교 시, GTX 1070이 더 최신 세대이며 더 높은 성능을 기대할 수 있습니다. 엔비디아는 세대가 진행됨에 따라 성능이 향상되는 경향이 있습니다.

Nvidia GPU 비교 (표 6.1에 제시함)

- Nvidia GTX 520: 클럭 속도 810 MHz, CUDA 코어 48개, 메모리 대역폭 14.4GB/s, 부동 소수점 성능 156 GFLOPS

- Nvidia GTX 650Ti: 클럭 속도 928MHz, CUDA 코어 576개, 메모리 대역폭 86.4GB/s, 부동 소수점 성능

1425 GFLOPS

- Nvidia GTX 780Ti: 클럭 속도 876MHz, CUDA 코어 2880개, 메모리 대역폭 336GB/s, 부동 소수점 성능 5046 GFLOPS

- Nvidia GTX 1070: 클럭 속도 1506MHz, CUDA 코어 1920개, 메모리 대역폭 256GB/s, 부동 소수점 성능 5783 GFLOPS

표 6.1 OSPW 프로파일링에 사용되는 GPU 비교

	Nvidia GTX 520	Nvidia G T X 650Ti	Nvidia G T X 780Ti	Nvidia G T X 1070
C l o c k Speed	810 MHz	928MHz	876MHz	1506MHz
C U D A Cores	48	576	2880	1920
Memory Bandwidt h	14.4GB/s	86.4GB/s	336GB/s	256GB/s
Floating P o i n t Performa nce	156 GFLOPS[2]	1425 GFLOPS	5046 GFLOPS	5783 GFLOPS

6.4.1 분산 기준 간섭 측정(DRI)

"DRI" 사례에 대한 연구는 저해상도 절대 위치 계산을 위해 프로파일링된 첫 번째 사례 연구였습니다. 이 사례 연구에서는 7가지 신호 처리 기능에 대한 프로파일링이 완료되었습니다. 이 기능들은 카메라에서 데이터를 수집하고 처리된 데이터를 사용자 인터페이스(UI)로 전송하는 기능을 포함합니다.

DRI에서 처리되는 데이터는 8KB로 매우 작으며, 함수의 계산량이 가볍기 때문에 GPU에서의 신호 처리는 큰 이점이 없습니다. GPU에서 커널을 실행하는 데 필요한 추가 시간, 즉 오버헤드 때문입니다. 이 오버헤드는 커널 초기화와 CPU가 GPU 커널을 대기 큐에 넣고 실행을 준비하는 데 필요한 시간을 포함합니다.

CPU와 GPU의 실행 시간 비교(표 6.2와 그림 6.8 참고)

- getData와 outputArray 함수는 GPU에서 실행되지 않으

며, CPU에서만 실행됩니다.

- convertBytes, getDerivative, smoothData, autoConvolution 함수는 GPU에서 실행 시 CPU보다 오버헤드가 발생합니다.

표 6.2 DRI를 위한 CPU와 다양한 GPU의 실행 시간(CPU) 비교

기능	Intel i7-4790 CPU	Nvidia GTX 520	Nvidia GTX 650Ti	Nvidia GTX 780Ti	Nvidia GTX 1070
getData	103	N/A	N/A	N/A	N/A
convertBytes	14	158	99	107	118
getDerivative	7	106	95	98	117
smoothData	305	1422	627	652	401
autoConvolution	864	7619	1106	5211	1534
outputArray	8	N/A	N/A	N/A	N/A
outputArray	6	N/A	N/A	N/A	N/A

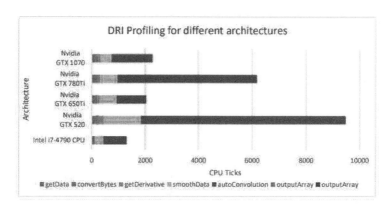

그림 6.8 DRI의 다양한 아키텍처 간 신호 처리 비교 - 낮을수록
좋음

표 6-3에서 볼 수 있는 GPU 실행 타이밍에 대한 보다 심층
적인 분석에 따르면, 모든 기능에서 우수한 단일 GPU는 존
재하지 않습니다. 이는 GPU 클럭 속도와 커널 실행 오버헤
드에 소요되는 시간의 차이 때문일 가능성이 높습니다. GTX
780Ti의 자동 컨볼루션을 제외한 대부분의 기능은 GPU의
성능이 향상됨에 따라 훨씬 더 빠르게 완료되었습니다.

이러한 불일치에 대한 추가 연구 결과, 자동 컨볼루션에 예상

보다 훨씬 더 오랜 시간이 걸리는 것으로 나타났는데, 이는 아마도 오래된 드라이버 때문일 수 있습니다. 그러나 활용되는 측정값이 두 설계 간에 일관성이 있다면 정확한 측정값보다 여러 번 반복할 수 있는 측정값을 갖는 것이 더 중요합니다.

이러한 측정 결과는 표 6-4 및 6-5에서 확인할 수 있습니다. 다시 말하지만, 가장 빠른 GPU의 경우 샘플 크기가 작기 때문에 옵션 간의 차이가 거의 없습니다. GPU에서 자동 컨볼루션 신호를 전송하는 데 걸리는 시간은 카드마다 가장 큰 차이를 보였으며, 가장 느린 GTX 520과 가장 빠른 GTX 650Ti 간에는 1.86ms의 차이가 측정되었습니다. 이는 메모리 대역폭, 메모리 클럭 속도 또는 메모리 아키텍처의 차이로 인해 발생했을 가능성이 높습니다.

표 6.3 DRI에 대한 다양한 GPU의 실행 시간 비교.

기능	Nvidia GTX 520	Nvidia GTX 650Ti	Nvidia GTX 780Ti	Nvidia GTX 1070

convertBytes	158	99	107	118
getDerivative	160	95	98	117
smoothData	1422	627	652	401
autoConvolutio n	7619	1106	5211	1534

표 6.4 DRI를 위한 다양한 GPU로의 데이터 전송 비교

신호(GPU로)	Nvidia GTX 520	Nvidia GTX 650Ti	Nvidia GTX 780Ti	Nvidia GTX 1070
Camera	105	97	88	91
Interferogram	111	85	100	93
Derivative	112	85	98	93
Filtered Interferogram	116	85	100	94
Autoconvolutio n	N/A	N/A	N/A	N/A

표 6.5 DRI를 위한 다양한 GPU의 데이터 전송 비교

신호(GPU로)	Nvidia GTX 520	Nvidia GTX 650Ti	Nvidia GTX 780Ti	Nvidia GTX 1070
Camera	N/A	N/A	N/A	N/A
Interferogram	184	108	128	153
Derivative	169	106	126	145
Filtered Interferogram	160	127	124	132
Autoconvolutio n	208	118	163	132

결론

GPU로의 데이터 전송 시간은 GPU 모델에 따라 다르며, 메모리 대역폭, 클럭 속도, 아키텍처의 차이로 인해 발생할 수 있습니다. DRI에서는 GPU에서의 신호 처리보다 CPU에서의 처리가 더 효율적일 수 있으며, 메모리 전송 시간도 고려되어야 합니다.

이 결과는 다양한 GPU 모델 간의 성능을 비교하고, 특정 신호 처리 작업에 가장 적합한 아키텍처를 선택하는 데 도움을 줍니다. GPU의 성능은 모델에 따라 다르며, 특정 작업에 대한 최적의 선택은 프로파일링을 통해 결정될 수 있습니다.

6.4.2 라인 스캔 분산 간섭 측정(LSDI)

DRI와 비교했을 때, LSDI는 18개의 다양한 함수로 구성되어 있으며, 각 함수는 프레임당 0.3메가바이트의 데이터를 처리할 수 있습니다. 이는 DRI 대비 약 37.5배 더 많은 데이터 양입니다. LSDI가 더 많은 신호 처리 단계를 필요로 하고,

데이터가 2차원 형태라는 점 때문에, GPU는 일부 알고리즘의 처리 속도를 상당히 향상시킬 수 있습니다. 특히, Nvidia GTX 1070 GPU는 FFT(4)와 IFFT(15) 처리에 있어서 CPU가 필요로 하는 시간의 각각 1.6% 및 2.9%만을 요구합니다. 그러나, 제로 시작(7), 빼기(11), 더하기(12)와 같은 연산은 CPU에서 훨씬 빠르게 처리됩니다. 이러한 연산들은 매우 적은 수의 연산을 포함하고 있으며, GPU 커널 실행의 오버헤드가 잠재적인 성능 이점을 상쇄합니다.

표 6.6 LSDI에 대한 CPU와 다양한 GPU의 실행 시간 비교

기능		Intel i7-782 0X CPU	Nvidia GTX 650Ti	Nvidia GTX 780Ti	Nvidia GTX 1070
1	divide	779	1313	348	275
2	Interpolation	174914	N/A	N/A	N/A
3	FFT	57897	4016	1651	1283
4	Absolute	8926	1169	654	629
5	Zero_Start	18	810	459	467
6	Zero_End	240	808	454	460
7	getMax	5512	15287	13172	10350
8	Logic	18	1195	1251	1102
9	zeroComplex_Start	73	889	514	417
10	zeroComplex_End	937	822	455	392
11	IFFT	49653	5264	2232	1434
12	complexLog	79875	1205	550	463
13	getImag	1979	751	420	399
14	unWrapPhase	5802	16599	15620	6435
15	windowSignal	1263	1017	515	290
16	polyFit	62974	82767	63458	22201
17	calcHeight1	6	506	546	619
18	calcHeight2	196	495	541	619

표 6.6은 LSDI 처리에 있어서 다양한 GPU와 CPU의 성능을 비교한 것입니다. 분석 결과, 그래픽 카드 중 어느 것이든 CPU보다 전반적인 성능 향상을 가져오는 것으로 나타났습니다. 이는 모든 필요한 메모리 전송을 포함한 신호 처리의 올

바른 작동에 필수적입니다. 그러나 GPU에서 수행되는 모든 작업의 성능이 완벽하지는 않으며, 상당수의 프로세스는 CPU에서 실행하는 것이 더 유리할 수 있습니다.

이는 특정 기능에서 CPU가 더 효율적일 수 있지만, 장치 간 데이터 전송에 필요한 주변 메모리 전송으로 인해 CPU가 제공하는 속도 향상을 상쇄할 수 있다는 문제를 제기합니다. 또한, 특정 기능을 위해 CPU에서 GPU로 데이터를 복사하는 것은 유용하지 않을 수 있지만, 이후에 실행될 여러 기능에 대해서는 유용할 수 있습니다. 이 문제는 해결하기 어려운 과제가 되었으며, 더 많은 기능이 존재할수록 해결이 더 어려워집니다.

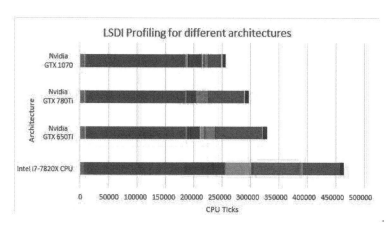

그림 6.9 각 아키텍처의 총 실행 시간(필요한 메모리 전송 포함)

각 아키텍처의 총 실행 시간 비교

그림 6.9는 필요한 모든 메모리 전송을 포함하여 각 아키텍처의 총 실행 시간을 비교한 그래프입니다. 이 그래프는 GPU와 CPU 간의 성능 차이를 시각적으로 보여줍니다.

표 6.7 LSDI에 대한 다양한 GPU의 실행 시간 비교

기능		Nvidia GTX 650Ti	Nvidia GTX 780Ti	Nvidia GTX 1070
1	divide	1313	348	275
2	FFT	3586	1176	827
3	Divide2	430	475	456
4	Absolute	1169	654	629
5	Zero_Start	810	459	467
6	Zero_End	808	454	460
7	getMax	15287	13172	10350
8	Logic	1195	1251	1102
9	zeroComplex_Start	889	514	417
10	zeroComplex_End	822	455	392
11	IFFT	5264	2232	1434
12	complexLog	1205	550	463
13	getImag	751	420	399
14	unWrapPhase	16599	15620	6435
15	windowSignal	1017	515	290
16	polyFit	82767	63458	22201
17	calcHeight1	506	546	619
18	calcHeight2	495	541	619

표 6.7, 6.8을 보면 프로파일링에 사용된 세 가지 그래픽 카드 중 Nvidia GTX 1070가 최적의 그래픽 카드가 아닌 경우에 그 편차가 훨씬 더 큰 것으로 나타났습니다. OS가 종종 처리를 중단하기 때문에 때때로 작은 차이가 발생할 가능성도 있었지만, 본 연구에서 이러한 차이는 64%까지 매우 높게

관찰되었습니다. 이러한 이유 때문에 활용될 하드웨어에 대한 프로파일링이 필요합니다. 이러한 데이터는 이상 발생 가능성을 줄이기 위해 5번의 개별 실행을 통해 수행되고 평균화되었습니다(그림 6-10). 사용자가 OSPW를 처음 사용하기 시작하면 프로파일링이라는 기술을 통해 제공된 하드웨어에 대한 예상 실행 시간을 추정합니다. 따라서 향후 하드웨어가 변경되는 경우 OSPW는 프로파일링 작업을 다시 실행하여 최적화된 구성을 새로 구축해야 합니다.

표 6.8 LSDI에 대한 다양한 GPU의 실행 시간 비교

신호(GPU로)	Nvidia GTX 650Ti	Nvidia GTX 780Ti	Nvidia GTX 1070
fftResult	13612	13806	13362
fftResult_Real	3825	3905	3837
getHeight	1811	1955	2088
getHeight2	236	274	359
HighCutFreq	347	380	382
ifftResult	11826	12103	11095
interSampleYt1	3086	3178	3063
LowCutFreq	385	408	394
MaxID	353	362	370
Phase	1673	1740	1722
phase_final_c	3701	3749	3299
Polynomial	316	310	375
Signal	859	878	815
unwrapedPhase	3954	3952	3037

신호(발신 GPU)	Nvidia GTX 650Ti	Nvidia GTX 780Ti	Nvidia GTX 1070
fftResult	13424	13351	12846
fftResult_Real	3249	3280	3582
getHeight	274	331	440
getHeight2	269	324	440
HighCutFreq	400	409	441
ifftResult	11362	11550	10721
LowCutFreq	405	416	443
MaxID	505	513	577
MaxValue	402	418	448
Phase	2563	2602	2660
phase_final_c	3098	3072	2551
Polynomial	597	620	687
sampleYt1	1504	1433	1287
unwrapedPhase	3542	3394	2931

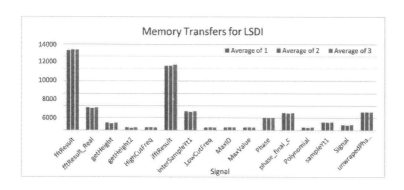

그림 6.10 세 번의 연속 실행에 따른 GTX 1070 메모리 전송
비교

6.5 처리량과 지연 시간의 성능 비교

6.5.1 분산 기준 간섭 측정(DRI)

DRI 신호 처리에 걸리는 시간이 매우 짧고 결과적으로 생성
되는 데이터의 양이 적기 때문에 CPU는 매우 짧은 시간 내
에 단일 프레임의 처리를 완료할 수 있습니다. 그러나 16개
의 개별 프레임이 동시에 렌더링되면 그래픽 처리 장치(GPU)
가 성능 이점을 갖기 시작합니다(그림 6-11). 예를 들어 실시
간 피드백이 필요한 애플리케이션의 경우 프레임을 일괄 처
리하는 것이 유용하지 않을 수 있습니다. 반면에 지연 시간이

중요한 요소가 아닌 상황에서는 DRI 프레임을 일괄 처리하면 여러분들은 큰 이득을 얻을 수 있습니다.

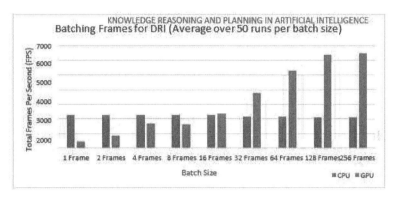

그림 6.11 DRI 처리량 비교

128프레임과 256프레임에서는 약 6.5kHz인 카메라 캡처 속도가 제한 요인이 될 수 있지만, 그럼에도 불구하고 GPU가 CPU에 비해 약 3배의 처리량을 갖는다는 이득이 있습니다. CPU의 순차 처리 아키텍처로 인해 프레임당 실행 시간은 배치 크기에 관계없이 2100~2200프레임 사이로 일정하게 유지됩니다.

이상을 종합하면, 실시간 피드백이 필요한 애플리케이션에서는 프레임을 일괄 처리하는 것이 유용하지 않을 수 있습니다. 그러나 지연 시간이 중요하지 않은 경우, DRI 프레임을 일괄 처리함으로써 큰 이점을 얻을 수 있습니다.

6.5.2 라인 스캔 분산 간섭 측정(LSDI)

LSDI 데이터 처리에 GPU를 사용하면 성능 이점이 크게 나타납니다(그림 6-12). 이는 프레임을 일괄 처리하고 처리량을 최적화할 때만 증가합니다. 이 비교에서는 GPU 가속 기능이 신호 처리에 어떤 이점을 제공하는지 강조됩니다. 단일 프레임에서 여러 프레임으로 전환할 때 속도가 크게 향상됩니다. 이는 단일 프레임 GPU 성능의 약 3.5배, CPU 성능의 약 22배에 해당합니다.

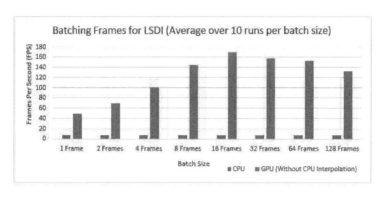

그림 6.12 LSDI 처리량 비교

6.4.2 라인 스캔 분산 간섭 측정(LSDI)

DRI와 비교해 LSDI는 18개의 함수로 구성되어 있으며, 각
함수는 프레임당 0.3메가바이트의 데이터를 처리합니다. 이는
DRI 대비 약 37.5배의 데이터 양입니다. LSDI의 신호 처리
단계가 더 많고 데이터가 2차원 형태인 점을 고려할 때,
GPU는 일부 알고리즘의 처리 속도를 크게 향상시킬 수 있습
니다. 특히, Nvidia GTX 1070 GPU는 FFT와 IFFT를 처리
하는 데 CPU가 필요한 시간의 각각 1.6% 및 2.9%만 소요됩
니다. 그러나, 제로 시작, 빼기, 더하기와 같은 연산은 CPU

에서 더 빠르게 처리됩니다. 이는 해당 함수들이 적은 연산을 포함하고 GPU 커널 실행의 오버헤드가 잠재적인 성능 이점을 상쇄하기 때문입니다.

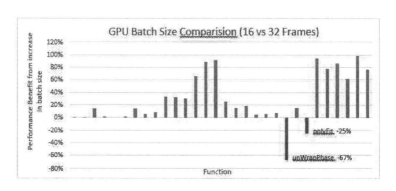

그림 6.13 LSDI용 GPU 프레임 일괄 처리의 성능 이점

6.5.3 요약

GPU를 활용하여 많은 프레임을 일괄 처리하면 처리 성능이 크게 향상될 수 있습니다. 그러나 DRI와 LSDI 모두에서 수익률이 감소하는 임계값이 존재합니다. DRI의 경우 이 임계값은 약 128프레임, LSDI는 16프레임입니다. 이러한 임계값을 고려하여 배치에 적합한 컴포넌트 수를 설정하는 것이 중요합니다. GPU에서 사용 가능한 RAM의 양이 이러한 최대

배치 크기를 결정하는 데 중요한 요소입니다.

6.7 OSPW 성능 평가

OSPW와 독립 실행형 소프트웨어의 성능을 비교하기 위해 DRI 및 LSDI에서 사용되는 신호 처리 알고리즘을 독립적으로 평가했습니다. DRI에서는 OSPW가 독립 실행형 프로그램에 비해 약간의 성능 저하를 보였으나, MATLAB과 비교했을 때는 21배의 성능 향상을 제공했습니다. LSDI에서는 OSPW가 독립 실행형 프로그램보다 더 나은 성능을 보였으며, GPU를 활용할 경우 성능이 더욱 향상되었습니다.

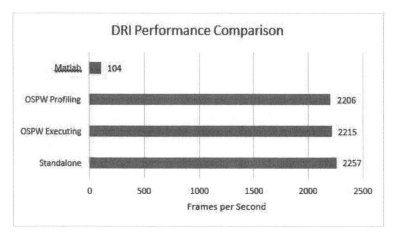

그림 6.14 DRI를 위한 OSPW와 독립형 소프트웨어의 대조 비교.

라인 스캔 분산 간섭 측정 성능 평가

독립형 프로그램은 평균 7.06 FPS(초당 프레임 수)의 속도로
LSDI에서 CPU 데이터를 출력했지만, OSPW는 7.59 FPS의
증가된 속도로 데이터를 출력하여 독립형 소프트웨어보다 더
빨랐습니다. 독립형 프로그램 실행과 비교했을 때, 사전 구성
된 OSPW 버전은 7.62 FPS의 프레임 속도 향상을 달성한
반면, 단독 소프트웨어는 7.8 FPS의 프레임 속도 향상을 달
성했습니다. 이러한 개선으로 인해 독립 실행형 프로그램은

이제 OSPW보다 2.18% 더 나은 성능을 제공합니다. 앞서 언급한 데이터에 대해 MATLAB을 다시 측정한 결과, CPU 실행이 초당 평균 1.43프레임으로 작동하는 것으로 나타났습니다(그림 6-15).

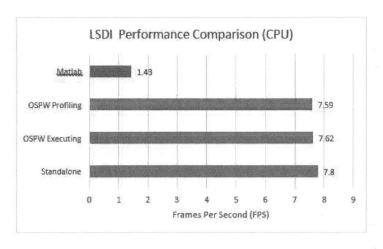

그림 6.15 LSDI(CPU)에 대한 OSPW와 독립형 소프트웨어의
차이점 분석

최적화된 설정을 수행하면(결과적으로 모든 불필요한 메모리 전송이 제거되면) OSPW가 독립형 프로그램보다 더 나은 성능을 발휘하여 초당 15.45 프레임이 아닌 초당 15.71 프레임을 달성합니다(그림 6-16).

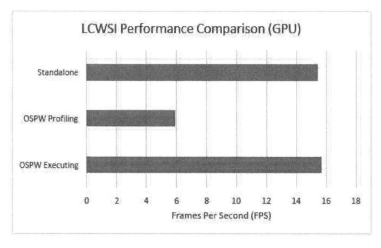

그림 6.16 SDI(GPU)를 위한 OSPW와 독립형 소프트웨어 비교

OSPW와 독립 실행형 소프트웨어 간의 성능 차이는 약 2%
로, 운영 체제 요구 사항으로 인한 성능 저하가 일부 발생했
을 가능성이 있습니다. OSPW는 사용자 친화성과 구성의 다
양성 측면에서 이러한 성능 저하를 상쇄합니다. 또한, OSPW
는 MATLAB보다 CPU에서 5.3배, GPU에서 LSDI를 사용할
경우 11배, DRI를 사용할 경우 21배 더 빠릅니다(그림
6-17).

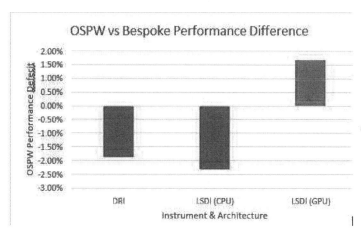

그림 6.17 FPS 퍼센트와 관련한 맞춤형 소프트웨어 사용의
이점

두 가지 아키텍처가 조화롭게 작동하여 각 아키텍처에서 가장 빠른 기능을 유지할 수 있다면, OSPW는 단일 아키텍처에서 실행되는 독립 실행형 소프트웨어에 비해 상당한 성능 이점을 제공할 수 있습니다.

7.1 서론

제7장에서 우리는 프로파일링 결과의 평가를 진행하였고, 그 결과 특정 설계를 최적으로 결정하기 어렵다는 결론에 도달하였습니다. 필요한 모든 추가 기능을 측정하는 과정이 더욱 복잡해졌습니다. 본 장에서는 섹션 3.3.2에서 초기에 소개된 PDDL(Planning Domain Definition Language)을 LPG-td와 결합하여 프로파일링 결과에 적용하는 방법을 설명하고, 다양한 아키텍처를 통합하여 어떠한 최적화가 가능한지 탐색하는 것을 목표로 합니다. 이러한 연구 결과는 고객이 접근할 수 있는 하드웨어의 범위를 설명하고, 다양한 가격대에서 제공될 수 있는 가속도의 수준을 제시하기 위해 여러 그래픽 카드를 활용하여 수행되었습니다.

7.2 신호 처리 기능을 PDDL 동작으로 매핑하기

프로파일링 데이터의 수집이 완료되면, OSPW(Operational Software Profiling Wrapper)는 CPU(독립 실행형), GPU (독립 실행형), CPU와 GPU의 이기종 조합, 문제에 대한 파일 등 4가지 PDDL 도메인 파일을 자동 생성합니다. 이후 OSPW는 LPG-td가 제안하는 세 가지 대안—CPU 단독, GPU 단독, 이기종 구성—에 대한 분석을 수행하여, 전체 구현 비용이 가장 낮은 구성을 신호 처리를 위한 최종 구성으로 선택합니다. CPU 틱 수는 Windows 성능 카운터 (Microsoft, 2018)를 활용하여 측정되었으며, 이는 DRI와 LSDI에 대해 각각 3.51MHz, 3.52MHz의 카운터 주파수로 기록되었습니다. 결과적으로 제공된 솔루션의 길이는 틱 수로 표현되며, 틱 분해능은 285나노초(ns)입니다.

신호 처리 요구 사항을 PDDL로 변환하는 과정은 신호 처리 작업을 PDDL 플래너가 이해할 수 있는 형태로 매핑하는 작업을 포함합니다(그림 7-1 참조). 변수로서의 신호와 데이터 포인트는 객체를 대표하며, 신호 처리 함수는 동작(action)으로 표현됩니다. 추가적으로 필요한 세부 사항은 상태(state)입니다. 신호 처리 과정에 필요한 각 작업은 완료 상태를 나타내는 "플래그" 상태가 필요하며, 또한 해당 작업은 전제 조건(precondition)이 충족되었는지를 검증합니다. 필요한 다른 상태로는 데이터가 중앙 처리 장치(CPU) 혹은 그래픽 처리 장치(GPU)에 저장되어 있는지 여부를 확인하는 동시에, 두 리소스가 동시에 사용되지 않도록 하는 뮤텍스(mutex) 상태가 포함됩니다.

CPU와 GPU가 동시에 두 가지 작업을 수행할 수 없기 때문에, 뮤텍스는 사용 중인 CPU나 GPU를 확인하는 데 필요합니다.

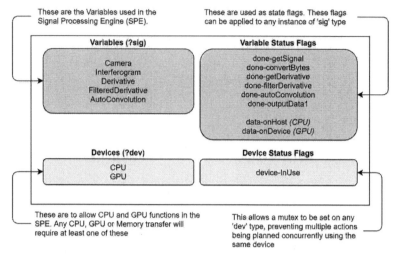

그림 7.1 도메인 파일 전체에서 사용되는 변수, 디바이스 및 상태

플래그를 보여주는 DRI PDDL 전제 조건

!

7.2 신호 처리 기능을 PDDL 동작으로 매핑

프로파일링 데이터가 수집되고 나면, OSPW는 CPU(독립 실행형), GPU(독립 실행형), CPU와 GPU의 결합 사용, 그리고 이에 대한 문제점을 다루는 네 가지 PDDL 도메인 파일을 자동으로 생성합니다. 이후 OSPW는 LPG-td에 의해 제안된 세 가지 옵션—CPU 독립 실행, GPU 독립 실행, 그리고 이

기종 혼합—을 분석하여, 전체 구현 비용이 가장 낮은 구성을 신호 처리 작업에 대한 최적의 해결책으로 선택합니다. CPU 의 작동 시간은 Windows 성능 카운터(Microsoft, 2018)를 사용해 측정됩니다. 이 측정은 DRI의 경우 3.51MHz, LSDI 의 경우 3.52MHz의 카운터 주파수에서 이루어졌으며, 측정 결과는 틱 수로 제공됩니다. 결과적인 틱 분해능은 285나노 초(ns)입니다.

신호 처리 작업을 PDDL에 매핑하는 과정은 신호 처리 단계 를 PDDL 플래너가 이해할 수 있는 형태로 변환하는 작업을 포함합니다(그림 7-1 참조). 먼저, 변수로 정의된 신호와 데 이터 포인트는 객체로, 신호 처리 함수는 동작으로 매핑됩니 다. 추가적인 세부 정보는 상태로만 표현됩니다. 각 신호 처 리 단계에는 해당 단계가 완료됨을 나타내는 상태 "플래그"가 필요하며, 이는 전제 조건 검사와 함께 수행됩니다. 필요한 추가 상태에는 데이터가 CPU 또는 GPU에 저장되어 있는지 여부를 확인하는 것과, 두 자원을 동시에 사용하지 않도록 보 장하는 뮤텍스 상태가 포함됩니다.

동일한 아키텍처에서 두 가지 작업이 동시에 실행될 수 없기 때문에, CPU 또는 GPU가 사용 중인지를 확인하는 데에는 뮤텍스가 필요합니다.

그림 7.1은 DRI PDDL의 전제 조건에서 사용되는 변수, 장치 및 상태 플래그를 보여줍니다.

CPU와 GPU가 수행하는 각 신호 처리 기능과, 사용되는 각 신호 및 데이터 포인트 객체에 대해, 두 아키텍처 간에 수행해야 하는 메모리 복사 작업에 대해서도 동작이 정의되어야 합니다. 그림 7-2는 DRI의 PDDL 도메인에서 CPU 작업을 시각적으로 나타냅니다. 이 작업에는 세 가지 파라미터가 필요합니다:

● CPU - 현재 CPU가 사용 중이 아닌지를 확인하기 위한 파라미터입니다.

- sig - 신호의 인스턴스, 즉 카메라에서 캡처한 이미지를 나타냅니다.

- sig - 신호의 예시, 이 경우 간섭 그램을 의미합니다.

전제 조건 단계에서는 각 인스턴스가 해당 객체에 정확히 매핑되어 있는지 확인하고, 필요한 인스턴스가 아직 생성되지 않았다면 새로 생성합니다. 중앙 처리 장치(CPU)의 사용 가능 여부와 관련된 검사는 작업을 수행하기 위한 전제 조건을 설정하는 데 필수적입니다. 이 과정에서는 먼저 CPU가 다른 작업에 의해 사용되고 있지 않은지를 확인하고, 해당 신호 처리 작업이 이미 완료되었는지 여부를 검증합니다. 신호 처리 작업이 완료된 상태가 해당 신호에 적용되면, 후속 작업이 실행될 수 있는지 여부를 결정하는 데 필요한 입력 파라미터에 대한 전제 조건이 충족되었는지를 판단할 수 있습니다. 이를 통해 계획자는 각 작업의 완료 여부를 수동으로 표시하지 않고도 자동으로 추적할 수 있습니다. 또한, 작업이 실행되기 전에 필요한 데이터가 CPU 또는 GPU의 메모리 내에 존재하는지 여부를 확인합니다. 이러한 모든 전제 조건이 만족되어야만 해당 동작을 실행할 수 있습니다.

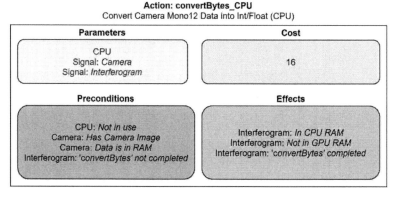

그림 **7.2** DRI 함수에 대한 PDDL 동작의 시각적 표현

다음으로, 이 동작이 미치는 영향에 대해 설명합니다:

● 시스템은 출력 신호 샘플Yt1의 데이터를 GPU가 아닌 CPU에 저장하도록 지시합니다.

● 이전에는 이 데이터가 CPU나 GPU 어디에도 저장되지

않았습니다.

- 이는 Divide1 작업이 출력 신호 SampleYt1의 처리를 완료했음을 나타내며, 이에 따라 이 함수 이후에 실행되는 함수가 사전에 완료된 작업에 대한 입력을 확인할 때 true 값을 반환합니다.

- 또한, 프로파일링 과정 전체에서 중앙값으로 측정되는 총 비용 메트릭을 증가시킵니다. 이 총 비용 측정값을 최소화하면서 최적의 경로를 식별하는 것이 목표입니다. 이는 문제 파일에서 확인할 수 있습니다.

그림 7-3에서는 DRI 설정과 해당 전제 조건 및 결과를 시각적으로 보여주고 있습니다.

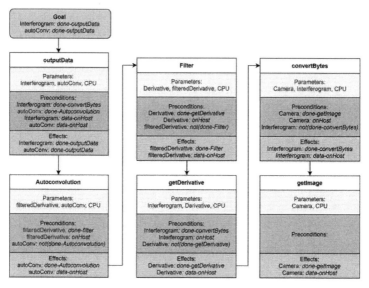

그림 7.3 목표 상태를 충족하기 위한 DRI 함수를 통한 역방향 검색

GPU를 이용한 작업에 대한 동작은 CPU를 사용할 때와는 다소 차이가 있습니다. CPU가 유휴 상태인지 확인하는 대신, GPU가 활용되고 있지 않은지를 확인합니다. 또한, 객체 배치를 위한 전제 조건은 디바이스에서만 충족될 수 있습니다(이

두 속성이 서로 배타적이지 않습니다).

GPU 작업이 완료된 후에는 장치에서 객체의 상태를 설정하는 것이 마지막 단계입니다.

메모리 전송 작업은 리소스 사용 가능 여부를 검사하여 CPU나 GPU가 현재 다른 프로세스에 의해 사용되고 있지 않은지 확인합니다. 또한, 데이터가 발신자의 메모리에는 존재하지만 수신자의 메모리에는 존재하지 않는 경우에만 수행됩니다. 데이터가 이미 수신자의 메모리에 존재한다면, 작업을 수행할 필요가 없습니다. 모든 전제 조건이 충족되면, 데이터는 수신자의 메모리에 있는 것으로 표시되지만, 발신자의 메모리에서는 즉시 제거되지 않습니다. 데이터가 향후 작업에 의해 수정될 경우에만 발신자의 메모리에서 제거됩니다.

PDDL을 통해 동일한 객체의 여러 인스턴스를 생성할 수 있으나, 이는 OSPW의 요구 사항에 필요하지 않습니다. 필요한 모든 객체(변수)는 LSDI의 문제 파일에서 찾을 수 있으며, 각 객체는 도메인 내에 인스턴스를 생성합니다. 또한, 일부 객체 (변수)의 초기 상태도 설정됩니다.

예를 들어, 프로세스 시작 시 CPU 메모리에 한 번만 로드되는 배경 이미지는 단일 호출 함수이므로 프로파일링 대상이 아닙니다. 데이터가 CPU에 존재하지 않는 경우, PDDL은 유효한 계획을 제공할 수 없습니다. 따라서, 이 객체에 대한 PDDL의 기본 관찰 상태는 데이터가 이미 기록되어 있는 상태입니다. 첫 번째 함수는 이 객체가 이미 존재하거나 호출에 필요한 전제 조건을 충족시키는 행동에 의해 생성될 것으로 기대합니다. 목표가 설정되고, LSDI는 두 개의 다른 높이 신호를 반환하게 됩니다. 그러나 데이터가 사용자 인터페이스로 전송되려면, 반드시 CPU 메모리에 저장되어 있어야 합니다. 따라서 하위 목표는 다음과 같습니다:

$$done\_getHeight1 \; \text{A} \; done\_getHeight2 \; \text{A}$$
$$onHost(getHeight1) \; \text{A} \; onHost(getHeight2)$$

이를 통해 여러분들은 올바른 함수를 사용하여 올바른 데이터를 계산할 뿐만 아니라 CPU 메모리에 데이터가 존재하여 사용자 인터페이스로 출력할 준비가 되어 있는지 확인하여 신호 처리 체인을 완성할 수 있습니다.

7.3 분산 기준 간섭 측정을 위한 PDDL 솔루션 평가
7.3.1 솔루션 결과 분석

데이터 수집 및 처리량이 상대적으로 적음에도 불구하고, 6.4.1 절에서 언급한 바와 같이, GPU를 이용한 DRI(Distributed Reference Interferometry) 실행이 특별한 이점을 제공하지 않는 것으로 나타났습니다. 그럼에도 불구하고, Intel i7-4790 CPU와 NVIDIA GPU(GTX 520, GTX 750Ti, GTX 780Ti, GTX 1070)를 포함한 다양한 하드웨어 구성에 대한 프로파일링 데이터를 바탕으로 총 9개의 도메인 파일을 생성하고 LPG-td를 활용한 분석을 진행했습니다(그림 7-4 참조). 해당 도메인과 솔루션에 대한 상세한 정보는 부록 11.3에서 확인 가능합니다.

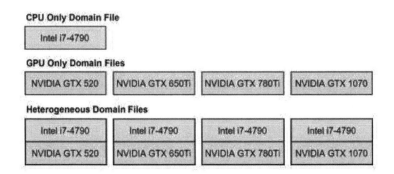

그림 7.4 분산 참조 간섭 측정을 위해 생성된 9개의 서로 다른 도메인 파일.

그림 7-5는 CPU만을 사용했을 때 최적의 성능을 달성할 수 있음을 시사합니다. GPU만을 활용한 경우에는 대부분 CPU를 사용했을 때보다 처리 속도가 떨어졌습니다. 따라서, CPU 및 GPU 중에서 선택할 수 있는 여지가 주어진 상황에서, 모든 CPU 기반 기능이 성공적으로 수행되었습니다.

GTX 780Ti를 사용한 결과는 예상보다 훨씬 우수했으며, 이는 주목할 만한 특징입니다. 7.4.1 절에서 진행된 추가 분석에 따르면, GTX 780Ti에서의 자동 컨볼루션 실행이 문제 해결의 핵심 요소로 밝혀졌으며, 실행 속도는 예상치의 약

1/5에 해당했습니다(그림 7-8 참조). GTX 1070과 비교하여 유사한 사양을 갖춘 두 제품 간에는 실행 속도가 거의 동일할 것으로 예상됩니다. 이러한 문제를 최소화하기 위해, 여러 차례에 걸쳐 프로파일링 데이터를 수집하고 평균값을 도출했습니다. 추가적인 연구와 테스트가 필요한 문제이지만, 프로젝트의 전반적인 목표에 기여하지 않는다는 판단 하에 구체적인 조사는 이루어지지 않았습니다.

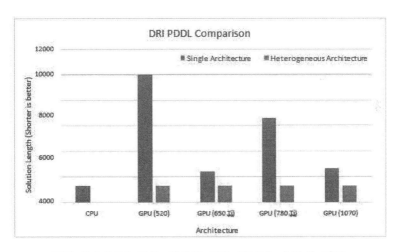

그림 7.5 DRI 신호 처리를 위한 PDDL 솔루션 비교.

7.3.2 요약

수집된 데이터의 제한적인 범위에도 불구하고, LPG-td는 DRI에 직면한 도전 과제에 대해 CPU 기반 실행이 가장 효과적인 솔루션임을 입증했습니다. 이어서, 다양한 설계가 가능한 잠재적 이점을 탐색하기 위해 LSDI(Line Scan Distributed Interferometry) 솔루션에 대한 검토가 진행될 예정입니다.

7.4 라인 스캔 분산 간섭 측정을 위한 PDDL 솔루션 평가

7.4.1 절에서 논의된 데이터는, DRI와는 달리, GPU 가속이 LSDI 문제 해결에 유용함을 명확히 보여줍니다. 그러나 실현 가능한 이점의 정도는 사용된 CPU와 GPU의 조합에 따라 다양했습니다. 이 연구에서는 GTX 750Ti, GTX 780Ti, GTX 1070 세 가지 GPU와 Intel i7-7820X CPU의 성능을 비교 분석했습니다(그림 7-6 참조).

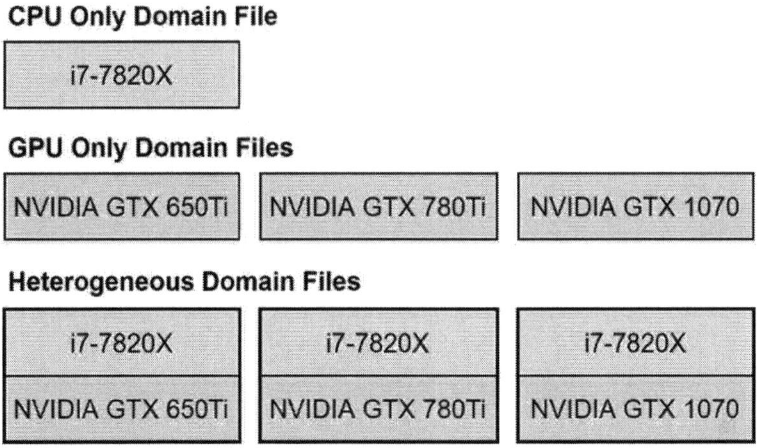

CPU Only Domain File

i7-7820X

GPU Only Domain Files

NVIDIA GTX 650Ti	NVIDIA GTX 780Ti	NVIDIA GTX 1070

Heterogeneous Domain Files

i7-7820X	i7-7820X	i7-7820X
NVIDIA GTX 650Ti	NVIDIA GTX 780Ti	NVIDIA GTX 1070

그림 7.6 라인 스캔 분산 간섭 측정을 위해 생성된 7가지 도메인
파일

각 GPU에 대한 프로파일링 데이터를 독립적으로 분석한 후,
LSDI 문제에 대한 PDDL 도메인으로 변환하여 테스트를 수
행했습니다. CPU와 GPU의 각 조합에 대해 고려해야 할 고
유 순열의 총 수는 272,144개에 이릅니다.

단일 아키텍처 결과 분석

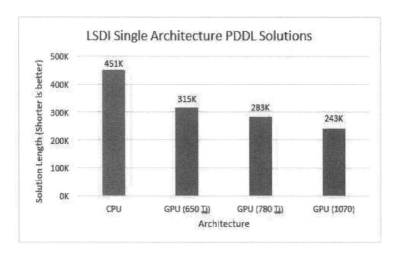

그림 7.7 LSDI 단일 아키텍처 PDDL 솔루션

특정 아키텍처에 대한 PDDL 실행 결과, 선택된 단일 아키텍처에 필요한 모든 신호 처리 기능을 선택하는 단일 솔루션만이 유효하다고 간주됩니다. 이로 인해, LPG-td는 이러한 솔루션을 신속하게 도출할 수 있으며, 세 가지 GPU 중 어느 하나를 사용할 경우 성능이 개선되며, 더 강력한 GPU일수록 더 큰 성능 향상을 보입니다(그림 7-7 참조).

이러한 분석을 통해, 특정 아키텍처 선택이 신호 처리 작업의 성능에 미치는 영향을 명확하게 파악할 수 있으며, 최적의 하드웨어 구성을 결정하는 데 중요한 기준을 제공합니다.

이기종 환경에서의 LSDI 실행 분석

이기종 환경에서의 LSDI(Line Scan Distributed Interferometry) 실행을 분석할 때, 단일 설계와 비교하여 GPU(Graphic Processing Unit)와 CPU(Central Processing Unit)의 조합이 성능 향상에 기여하는 것이 명확히 관찰되었습니다. 이는 LPG-td(Linear Programming Goal-td)를 통해 다양한 대안적 경로를 조사하고, 이 중 일부 경로가 우수한 솔루션으로 이어질 가능성이 있음을 발견한 결과입니다. 초기 솔루션이 단독으로 사용되었을 때보다 이기종 솔루션의 반복적 개선을 통해 최적의 솔루션이 독립형 GPU 사용 시보다 약 13% 더 빠르게 도출되었습니다.

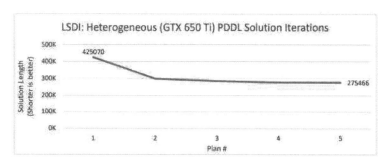

그림 7.8 반복적 LSDI 이기종 PDDL 솔루션

Nvidia GTX 750Ti 그래픽 카드를 활용한 분석

GTX 750Ti를 사용한 초기 솔루션 분석에서, 단독 GPU 사용 시보다 느린 성능(425K 대 315K)이 관찰되었습니다. 그러나, 이기종 솔루션을 통한 반복적인 개선 과정에서는 독립형 GPU 사용보다 13% 더 빠른 성능을 달성할 수 있었습니다.

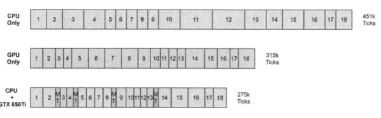

그림 7.9 GTX 750Ti에서 LSDI 균질화된 함수 실행의 시각적
표현(축척되지 않음)

Nvidia GTX 780Ti 그래픽 카드를 활용한 분석

GTX 780Ti를 장착한 CPU의 경우, GTX 750Ti와 비교했을
때 GTX 780Ti가 283K 틱으로 더 빠른 성능을 제공함을 확
인할 수 있었습니다. GTX 780Ti의 사용은 GTX 750Ti에
비해 더 우수한 사양을 가지고 있기 때문에, CPU만 사용하
거나 GTX 780Ti만 사용하는 대안에 비해 이기종 솔루션에
서 성능이 추가로 개선되어야 함을 시사합니다. GTX 780Ti
를 사용한 분석에서는 이기종 솔루션이 GPU 단독 사용보다
7% 이상, CPU 단독 사용보다는 40% 이상 빠른 성능을 제
공함을 발견했습니다.

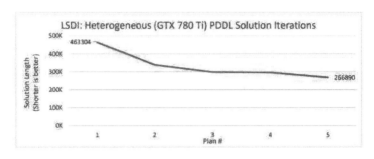

그림 7.10 반복적 LSDI 이기종 PDDL 솔루션(GTX 780Ti)

그림 7-11의 기능 분류를 살펴보면 아키텍처 간 기능 분할이 GTX 750Ti와 정확히 동일하다는 것을 알 수 있습니다. 차 이점은 더 빠른 몇 가지 GPU 기능만 활용된다는 사실에 있 습니다. GPU 성능이 크게 향상되어 더 많은 수의 연산에 대 해 GPU가 더 빨라지는(메모리 전송 포함) 시점까지는 답은 동일할 것으로 보입니다. 그러나 LPG-td는 이 특정 신호 처 리와 사용 가능한 하드웨어에 가장 적합한 솔루션을 찾는 데 효과적이었습니다.

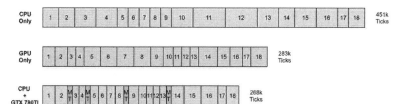

그림 7.11 GTX 780Ti에서 LSDI 이기종 함수 실행의 시각적
표현(축척되지 않음).

GPU 및 중앙 처리 장치(CPU)

GTX 1070은 GTX 780Ti에 비해 부동 소수점 성능이 약
15% 향상되어 조사된 세 가지 그래픽 카드 중 가장 강력한
그래픽 카드가 되었습니다(표 7-1). 이는 결과적으로 GTX
1070이 단독으로 사용했을 때 GTX 780Ti보다 14% 더 뛰
어난 성능을 보였다는 사실을 고려할 때 GTX 780Ti와 비교
했을 때 약 15%의 PDDL 솔루션 개선이 이루어졌다고 볼 수
있습니다(그림 7-7). 이전 계획과 달리 CPU와 GPU의 기능
에 대한 프로파일링 데이터는 상당히 근접했으며, 그 결과
LPG-td는 최종 계획을 결정하기 전에 더 많은 수의 계획을
개발했습니다(그림 7-12).

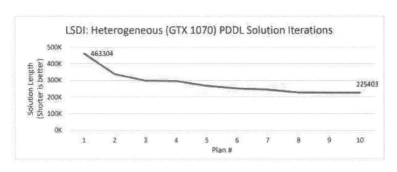

그림 7.12 반복적 LSDI 이기종 함수 실행의 PDDL 솔루션
(GTX 1070)

GTX 1070은 단일 아키텍처 옵션 중 하나보다 열등한 계획
으로 시작하지만 최적의 결과인 225K 틱에 도달할 때까지
꾸준히 개선됩니다. 이 솔루션은 GPU에만 의존한 솔루션보
다 8.5% 더 우수하며, CPU에만 의존한 솔루션보다 50% 더
빠릅니다. 그림 7-13에서 볼 수 있듯이 선택된 기능의 대부
분이 GPU를 사용하기 때문에 GPU 전용 솔루션과 전체 솔
루션의 차이는 10% 미만입니다. 우리는 이 프로젝트를 통해
서 계획이 473K에서 225K로 어떻게 발전할 수 있었는지 더
깊이 이해하기 위해 10가지 솔루션 각각을 분석하여 시간이
지남에 따라 솔루션이 어떻게 진화했는지를 보여주었습니다.

그림 7-14는 10개의 점진적 솔루션 모두에서 각 기능에 대해 선택된 아키텍처를 보여줍니다. 각 솔루션은 이전 솔루션과 비교하여 최적화 수준이 향상되었습니다. 각 후속 계획은 그 이전의 계획보다 우수하지만, LPG-td는 최적의 선택에 도달하기까지 여러 번의 반복을 거쳐야 합니다. 이는 이전 챕터에서 다루었던 검색 알고리즘과 동일한 방식으로 작동합니다. 각 경로에 다양한 우선순위를 부여하여 가능한 경로를 넓히고, 결국 모든 오류를 수정하고 최적의 답변을 제공합니다.

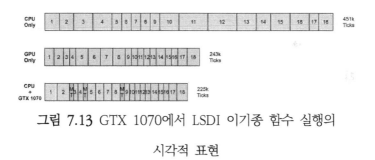

그림 7.13 GTX 1070에서 LSDI 이기종 함수 실행의
시각적 표현

예를 들어, 솔루션 5에서는 제로데이터1, 제로데이터2, getMax에 GPU를 활용하는 것이 최적이라는 것을 발견했지

만, 솔루션 6에서는 그 반대의 결과를 발견했습니다. 솔루션 6에서는 최종 솔루션에서 누락된 함수가 두 개 (zeroComplex1 및 zeroComplex2)에 불과하여 사실상 답이 완성되었지만 플래너는 이 최적 솔루션에 도달하기 전에 점진적으로 개선되는 세 가지 옵션을 더 검토해야 했습니다.

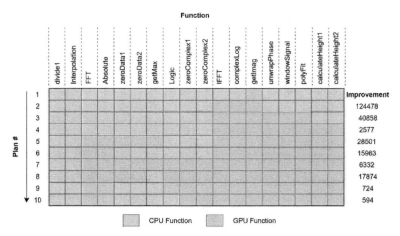

그림 7.14 LPG-td가 만든 다양한 솔루션 경로의 시각적 표현

결론적으로 LPG-td는 LSDI 신호 처리 요구를 만족하는 최적의 솔루션 탐색에 지속적으로 성공하였습니다(그림 7-15 참조). 그래픽 카드의 성능이 향상됨에 따라, 일부 처리 과정은 CPU보다 GPU에서 더 효율적으로 수행됩니다. LSDI에 대한 가능한 모든 순열은 218가지였으나, 각 하드웨어 조합에 대한 최적 솔루션은 단 5분 이내에 파악될 수 있었으며, 개별 아키텍처에 가장 적합한 솔루션을 찾는 데는 몇 초 밖에 걸리지 않았습니다. 이는 프레임 당 약 10%의 성능 개선을 위한 일회성 비용으로, 신호 처리 방식이나 사용 가능한 하드웨어에 변동이 있을 때만 재계산이 필요합니다.

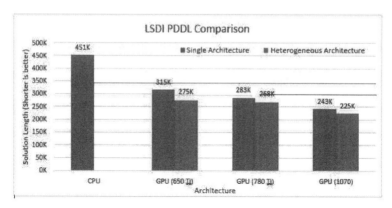

그림 7.15 LSDI 신호 처리를 위한 PDDL 솔루션 비교

단일 GPU(여기서는 NVIDIA GTX 1070)를 평가할 때, 가능한 모든 솔루션의 정규 분포를 그리게 됩니다. 이 분포는 필요한 메모리 전송만 포함한 모든 성공적인 계획을 나타내며, 2^n 순열이 발생합니다(n은 신호 처리 함수의 수). 이러한 방대한 순열의 총 개수는 $(m2+1)^{n1}(m2+n)$이 되며, 이는 이전 방법보다 훨씬 더 많은 순열을 생성합니다.

GPU 활용 시 성능이 향상될 것으로 예상되며, CPU만을 사용한 계획이 다중 아키텍처 계획의 80% 성능에 미치지 못한다는 것을 확인할 수 있습니다. 그러나 가능한 모든 옵션 중에서 GPU 전용 접근 방식이 가장 우수한 옵션은 0.2%에 불과합니다. PDDL은 이 작은 옵션 하위 집합 내에서 가장 효과적으로 실행되는 계획을 성공적으로 찾아냈습니다.

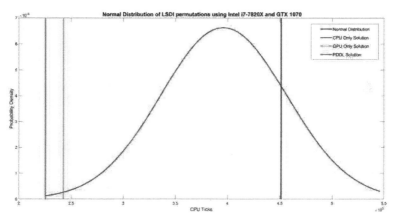

그림 7.17 인텔 i7-7820X 및 엔비디아 GTX 1070을 사용한 LSDI 순열의 정규 분포

DRI(Differential Refractive Index) 및 LSDI(Line Scan Differential Interference)에 관한 프로파일링 데이터는 OSPW(Open Source Planning for Workflows)에서 생성된 도메인 파일에 포함되었습니다. LPG-td(Linear Programming Goal-directed Temporal planner)는 이러

한 파일들을 활용하여 제공된 데이터에 기반한 최적의 솔루션을 성공적으로 도출했습니다. PDDL(Planning Domain Definition Language)의 활용 덕분에 사용자는 각 기능의 GPU 가속 가능성을 수동으로 분석할 필요 없이 최적의 신호 처리 방안을 식별할 수 있었습니다. 비록 단일 GPU 기능의 프로파일링이 항상 이점을 보장하는 것은 아니지만, 여러 기능이 상호 연결되어 있는 경우에는 그러할 수 있습니다. 이는 모든 가능한 조합을 수동으로 평가하는 막대한 작업을 대체하는 것입니다. LPG-td를 이용한 전체 프로파일 데이터 분석에는 단 5분이 소요되었습니다. 이를 통해 사용자는 맞춤형 소프트웨어와 유사한 성능을 달성할 수 있으며, LSDI의 경우 가장 빠른 단일 아키텍처 대비 약 13%의 성능 향상을 보였습니다.

표면 및 치수 측정은 물체의 물리적 크기와 거리뿐만 아니라 표면의 질감과 형태까지 평가합니다. 다양한 측정 도구가 상업적으로 이용 가능하며, 이는 접촉식(기계식 스타일러스 등)에서부터 비접촉식(광학 방식, 원자력 현미경 등)에 이르기까지 범위가 넓습니다. 이 연구는 제조 공정의 요구가 증가함에 따라 광학 기기의 신호 처리 속도를 향상시켜야 하는 필요성에 초점을 맞추고 있습니다. 이는 특히 스마트 제조로의 전환 과정에서 더 많은 데이터를 신속하게 처리해야 하는 상황에서 중요합니다.

인더스트리 4.0 또는 4차 산업혁명으로 불리는 지능형 제조로의 전환은 생산 라인 전반에 걸쳐 공정 모니터링의 필요성을 증가시켰습니다. 스마트 제조는 데이터 기술을 활용하여 제조 공정을 실시간으로 모니터링하고 관리하는 혁신적인 접근 방식입니다. 인프로세스 측정은 생산 공정을 중단하지 않고도 작업 항목을 측정할 수 있게 해, 생산 효율성을 극대화합니다.

비접촉 측정과 빠른 처리 속도의 이점으로 인해 광학 센서는 표면 및 치수 측정 분야에서 점차 일반화되고 있습니다. 인더스트리 4.0의 도래로 제조업은 데이터 중심의 프로세스로 전환되었습니다. 그 결과, 데이터의 양이 지속적으로 증가하고 센서의 수가 늘어나면서, 데이터를 단순히 저장하는 것을 넘어서 실시간으로 처리하고 핵심 데이터만을 기록하는 방식이 필요해졌습니다. 온-머신 측정으로의 전환을 위해서는, 사용되는 장비의 크기를 최소화하면서도 사용 가능한 생산 라인 공간 당 최적의 성능을 유지해야 합니다. 이와 같은 제약 사항으로 인해, 연구자들은 알고리즘의 처리 속도를 향상시키기 위한 하드웨어 가속 방식을 도입하기 시작했습니다.

MATLAB과 LabVIEW와 같은 소프트웨어를 사용하여 표준 컴퓨터 하드웨어에서 신호를 처리하는 방식은 오랜 기간 동안 표준 접근 방식으로 사용되었습니다. 그러나 광학 센서의 크기와 속도가 점점 증가함에 따라, 스마트 제조에 필요한 데이터 처리 요구 사항도 증가하고 있으며, 기존의 순차적 처리 방식으로는 이러한 요구 사항을 충족시키기에 충분한 성능을 제공하지 못하고 있습니다. 이에 따라, 업계 연구자와 기업들은 신호 처리의 효율성 및 생산 라인의 효율성을 개선하기 위해 다양한 방법을 모색하고 있습니다. 이를 위해 디지털 신호 프로세서(DSP), 그래픽 처리 장치(GPU), 필드 프로그래밍

가능 게이트 어레이(FPGA)와 같은 세 가지 주요 옵션이 고려되고 있습니다.

이 세 가지 옵션은 각각 성능, 비용, 구현 난이도 등에서 장단점을 가지고 있습니다. 적절한 응용 프로그램을 선택하고 계측을 최적화할 수 있는 충분한 시간이 주어질 경우, 각 옵션은 범용 소프트웨어 패키지보다 성능 면에서 우위를 가질 수 있습니다. FPGA는 가장 큰 성능 향상을 제공할 수 있지만, 프로그래밍에 상당한 비용과 시간이 소요됩니다. 그럼에도 불구하고, 한 번 설정되면, 특정 애플리케이션에 대해 매우 효율적입니다.

DSP는 FPGA에 비해 더 저렴한 대안으로, 비교적 간단한 프로그래밍 과정과 휴대성을 제공하면서도 충분한 처리 능력을 가집니다. GPU는 추가 하드웨어가 필요하지만, 프로그래밍의 용이성과 비교적 저렴한 비용으로 인해 특히 광학 센서 데이터 처리에 널리 사용됩니다. 그러나 신호 처리 소프트웨어를 개발하기 위해서는 프로그래밍 언어 학습뿐만 아니라 상당한 시간과 비용 투자가 필요합니다. 이러한 과정은 실험실 연구원이든 현장 엔지니어이든, 연구 또는 생산 활동의 일환으로 요구됩니다.

하드웨어 가속을 통한 신호 처리 성능의 향상은 필수적이며, 설계된 알고리즘이 효과적이고 최적화될 수 있도록 추가적인 시간 투자가 필요합니다. 이 과정은 연구자와 공학자가 컴퓨터 과학에 대한 경험이 있든 없든 수행해야 하는 중요한 작업으로, 연구의 한 부분으로서 요구되고 있습니다.

산업 생산 시설이나 학술 연구실과 같은 모든 환경에서 시간은 매우 중요한 자원입니다. 만약 소프트웨어 패키지 개발에 1년이 소요된다면, 해당 기간 동안 측정 장비를 사용하거나 시장에 출시할 준비가 되지 않은 채로 시간을 낭비하게 됩니다. 또한, 소프트웨어 엔지니어를 1년 동안 전일제로 고용하는 비용은 상당히 높을 수 있습니다.

측정 데이터를 처리하는 데 5분이 소요된다면, 이는 생산 라인에서 병목 현상을 유발하여 생산 지연 또는 부적합한 제품이 생산될 가능성이 있음을 의미하며, 이는 결국 기업에 상당한 비용을 발생시킬 수 있습니다. MATLAB 및 LabVIEW와 같은 상용 소프트웨어 프로그램은 사용의 편리성, 프로그래밍의 높은 추상화 수준, 다양한 분야를 지원하는 사전 구축된 함수 라이브러리 등의 장점에도 불구하고 성능 문제를 가지고 있어, "모든 상황에 적합한" 제품을 설계할 때는 성능과 편의성 사이에서 절충안을 찾아야 합니다.

MATLAB의 병렬 툴박스는 2010년부터 GPU를 지원하기 시작했으며, LabVIEW의 GPU 분석 도구도 2012년에 도입되었습니다. 이러한 노력은 모두 성능 개선을 목적으로 하고 있습니다. 그러나 이 두 옵션은 사용자에게 CPU와 GPU 사이에서 선택할 수 있는 두 가지 옵션만을 제공합니다. 사용자는 실행 시간을 측정하고 특정 함수 그룹에 대해 어느 방식이 더 빠른지 비교할 수 있지만, 대규모 문제에 대해서는 이러한 비교가 관리하기 어려울 수 있습니다.

MATLAB의 병렬 도구 상자를 사용할 때는 GPU와의 메모리 전송도 사용자가 직접 관리해야 합니다. 이러한 병렬 도구 상자에는 특정 함수나 함수 그룹에 대해 CPU와 GPU를 결합하여 사용하는 것이 유리할 수 있지만, 이것은 응용 프로그램에 따라 달라질 수 있습니다. 이러한 유형의 컴퓨팅 방식을 이기종 컴퓨팅이라고 합니다.

신호 처리의 실행 시간(또는 지연 시간)을 모니터링하고 기록함으로써, 이를 처리 성능을 평가하기 위한 기준으로 활용할 수 있습니다. 예를 들어, 한 방법은 각 함수를 차례로 호출하여 CPU에서 순차적으로 실행되는 CPU 기반 실행 방식이고, 다른 방법은 각 함수에 대해 GPU를 사용하는 솔루션입니다. 이 두 방식은 하드웨어 사양과 처리 요구 사항에 따라 GPU 구현이 CPU 기반 솔루션보다 더 빠르거나 느릴 수 있습니다. 모든 메모리 전송이 동일한 계산 작업을 포함한다고 가정하면, 동일한 시간을 할당하여 비교할 수 있습니다.

8장에서는 지식 기반 추론(Knowledge-Based Reasoning)
과 상식 기반 추론(Commonsense Reasoning)을 비교하여
다룰 것입니다. 이 두 추론 방식은 인공지능(AI) 연구와 응용
에서 중요한 역할을 합니다. 본 장에서는 이들의 정의, 기반
이론, 사용 사례, 장단점을 구체적으로 비교하고, 어떻게 이
두 추론 방식이 제약 조건 프로그래밍과 개념 그래프에 적용
되는지 탐구할 것입니다.

8.1. 지식 기반 추론

지식 기반 추론(Knowledge-Based Reasoning)은 인공지능
(AI)과 컴퓨터 과학 분야에서 사용되는 중요한 개념 중 하나
입니다. 이 방법은 특정 분야에 대한 광범위한 지식을 바탕으
로 결론을 도출하거나 문제를 해결하는 데 사용됩니다. 지식
기반 추론의 핵심은 사람의 전문가 수준의 지식을 컴퓨터가
이해할 수 있는 형태로 변환하고, 이를 사용하여 논리적 추론

을 수행하는 것입니다. 이러한 방식은 전문가 시스템, 의료 진단, 법률 자문, 기술 지원 등 다양한 분야에서 활용됩니다.

지식 기반 추론의 정의

지식 기반 추론은 기본적으로 두 가지 주요 구성 요소를 포함합니다: 지식 베이스(Knowledge Base)와 추론 엔진 (Inference Engine).

지식 베이스: 이는 특정 분야의 사실, 규칙, 휴리스틱(경험적 규칙), 개념 등을 포함하는 데이터베이스입니다. 지식 베이스는 해당 분야의 전문가가 제공한 깊이 있는 지식을 구조화된 형태로 저장합니다. 예를 들어, 의료 분야의 지식 베이스는 질병, 증상, 치료 방법 등에 대한 상세한 정보를 포함할 수 있습니다.

추론 엔진: 추론 엔진은 지식 베이스에 저장된 정보를 사용하여 질문에 답하거나 문제를 해결하기 위한 논리적 추론을 수행하는 소프트웨어 컴포넌트입니다. 이는 규칙 기반 추론

(rule-based reasoning), 사례 기반 추론(case-based reasoning), 모델 기반 추론(model-based reasoning) 등 다양한 방법을 사용할 수 있습니다.

지식 기반 추론의 사례

의료 진단 시스템

의료 분야에서 지식 기반 추론은 환자의 증상과 의료 기록을 분석하여 가능한 질병을 진단하고, 적절한 치료 방안을 제시하는 데 사용됩니다. 예를 들어, MYCIN 시스템은 1970년대에 개발된 유명한 의료 진단 전문가 시스템으로, 세균 감염과 관련된 질병을 진단하고, 항생제 치료를 권장했습니다. MYCIN은 복잡한 규칙을 사용하여 환자의 증상과 검사 결과를 분석하고, 이를 통해 질병을 진단하고 치료법을 제안했습니다.

법률 자문 시스템

법률 자문 시스템은 법적 문제 해결과 관련된 전문 지식을 제공합니다. 이러한 시스템은 법률 데이터베이스에 저장된 판례, 법규, 조례 등을 활용하여 사용자의 질문에 답하거나, 특정 법률 사례에 대한 조언을 제공합니다. 예를 들어, 사용자가 특정 법률 분쟁과 관련된 조언을 구할 때, 시스템은 관련 법률, 유사 사례, 판례 등을 분석하여 자문을 제공합니다.

고객 서비스 챗봇

고객 서비스를 위해 설계된 챗봇은 제품 사용법, 고객 문의 처리, 기술 지원 등에 대한 지식을 활용하여 사용자의 질문에 답변합니다. 이러한 챗봇은 다양한 고객 문의에 대응하기 위해 광범위한 제품 및 서비스 관련 지식을 지식 베이스에 저장하고 있습니다.

요약

지식 기반 추론은 AI가 인간 전문가처럼 특정 분야의 문제를 해결할 수 있도록 하는 강력한 방법입니다. 이를 통해 시스템은 복잡한 결정을 내릴 수 있으며, 인간의 지식과 경험을 모델링하여 보다 지능적인 서비스를 제공할 수 있습니다. 지식 기반 추론은 의료, 법률, 고객 서비스 등 다양한 분야에서 응용되며, 이러한 시스템의 개발과 향상은 지속적인 연구와 혁신을 통해 이루어지고 있습니다. 지식 기반 추론 시스템의 성공은 정확하고 신뢰할 수 있는 지식 베이스의 구축과, 복잡한 추론을 효율적으로 수행할 수 있는 추론 엔진의 개발에 달려 있습니다.

8.2. 상식 기반 추론

상식 기반 추론(Commonsense Reasoning)은 인공지능(AI) 분야에서 인간이 일상 생활에서 사용하는 상식을 기반으로 문제를 해결하거나 결론을 도출하는 AI의 능력을 말합니다. 상식 기반 추론의 목표는 AI가 사람처럼 다양한 일상적 상황을 이해하고, 그에 적합한 행동을 결정할 수 있도록 하는 것입니다. 이는 AI에게 매우 도전적인 과제이며, 인간의 상식적 지식과 추론 능력을 모델링하고 시뮬레이션하는 다양한 접근 방식이 연구되고 있습니다.

상식 기반 추론의 정의

상식 기반 추론은 사람들이 일상생활에서 자연스럽게 사용하는, 명시적으로 정의되지 않은 일반적 지식을 바탕으로 하는 추론 과정입니다. 이러한 상식은 물리적 세계의 기본 법칙, 사회적 규범, 일반적인 사람들의 행동 패턴 등을 포함합니다. 예를 들어, "물건을 놓으면 바닥으로 떨어진다", "사람들은 밤에 잠을 잔다"와 같은 지식이 상식에 해당합니다. 상식 기반 추론은 이러한 지식을 바탕으로 새로운 상황을 이해하고, 문제를 해결하며, 결정을 내리는 과정을 포함합니다.

사례 1: 일상 대화 이해

상식 기반 추론은 AI가 일상 대화를 이해하는 데 필수적입니다. 예를 들어, 챗봇이 사용자가 "비가 오니까 우산을 챙겨야겠어"라고 말했을 때, 이 문장만으로는 사용자가 외출을 준비하고 있고, 비가 올 때 우산이 필요하다는 상식을 바탕으로 이해할 수 있습니다. 여기서 AI는 날씨가 비인 상황에서 우산이 왜 필요한지(비를 막기 위해), 그리고 사용자가 외출 준비를 하고 있다는 점을 인식합니다. 이는 명시적으로 제공되지 않은 정보를 상식을 통해 추론하는 과정입니다.

사례 2: 자율주행 자동차

자율주행 자동차 기술에서 상식 기반 추론은 매우 중요합니다. 예를 들어, 자율주행 자동차가 학교 근처를 지나가는 시간이 방과 후 시간대와 겹친다면, 자동차는 아이들이 도로를 횡단할 수 있음을 예상하고 속도를 줄여야 합니다. 이러한 판단은 도로 교통 규칙을 넘어서는 상식에 기반한 것입니다. 자동차는 학교 근처와 시간대를 인지하고, 아이들이 갑자기 길을 건널 가능성에 대비하여 미리 조치를 취합니다.

사례 3: 가정용 로봇

가정용 로봇이 주방에서의 일을 돕는 상황을 생각해봅시다. 로봇이 식기 세척기를 비우는 작업을 수행한다고 할 때, 상식 기반 추론을 통해 식기가 깨지기 쉬운 것은 조심스럽게 다뤄야 하고, 칼과 같은 날카로운 물건은 안전하게 처리해야 한다는 것을 인지해야 합니다. 이러한 상식은 특정 규칙으로 명시적으로 프로그램되지 않았을 수 있지만, 일상 생활에서의 경험을 바탕으로 합니다.

사례 4: 비디오 게임에서의 NPC 행동

비디오 게임 내에서 비플레이어 캐릭터(NPC)의 행동을 결정할 때 상식 기반 추론이 사용될 수 있습니다. 예를 들어, 게임 내에서 낮과 밤의 사이클이 존재한다면, NPC는 밤이 되면 자러 가고, 낮에는 일하러 가는 등의 일상적인 활동 패턴을 보여줄 수 있습니다. 이러한 행동 패턴은 특별히 복잡한 프로그래밍 없이도 상식적인 생활 패턴을 반영하여 게임 세계의 현실감을 높이는 데 기여합니다.

사례 5: 스마트 홈 자동화

스마트 홈 시스템은 상식 기반 추론을 사용하여 사용자의 일상 생활을 더 편리하게 만들 수 있습니다. 예를 들어, 스마트 홈 시스템은 집 안의 온도, 조명, 그리고 기타 환경 설정을 자동으로 조절할 수 있습니다. 만약 사용자가 매일 저녁 7시에 집에 도착해서 조명을 켜는 습관이 있다면, 시스템은 이러한 패턴을 학습하여 사용자가 도착하기 전에 자동으로 조명을 켜줍니다. 이 경우, 시스템은 시간과 사용자의 행동 패턴에 대한 상식을 바탕으로 결정을 내립니다. 또한, 겨울철에는 외부 온도가 낮아지면 실내 온도를 자동으로 높여주는 등의 조치를 취할 수 있습니다. 이러한 조치들은 계절과 날씨에 대한 상식을 기반으로 합니다.

사례 6: 이미지 및 비디오 분석

AI가 이미지나 비디오를 분석할 때, 상식 기반 추론은 맥락을 이해하고 이미지 내 객체 간의 관계를 해석하는 데 중요합니다. 예를 들어, AI가 거리 사진에서 자동차와 사람을 인식했다고 가정해 봅시다. 상식 기반 추론을 사용하여, AI는 사람이 도로를 건너는 중이라면 자동차는 멈춰 있어야 한다는 결론을 내릴 수 있습니다. 또한, 비가 오는 날씨의 사진에서 사람들이 우산을 쓰고 있다면, AI는 이를 통해 날씨가 비인 것을 추론할 수 있습니다. 이러한 추론은 객체 인식을 넘어서서 이미지나 비디오의 전체적인 상황을 이해하는 데 필수적입니다.

사례 7: 비상 상황 대응 시스템

비상 상황 대응 시스템에서 상식 기반 추론은 시스템이 특정 상황에서 취해야 할 최선의 조치를 결정하는 데 도움을 줍니다. 예를 들어, 지진 감지 시스템이 지진 발생을 감지했을 때, 상식 기반 추론을 이용해 해당 지역의 모든 전기와 가스 공급을 자동으로 차단하도록 할 수 있습니다. 이는 지진으로 인한 화재나 추가적인 손상을 방지하기 위한 조치입니다. 또한, 시스템은 지진 발생 후에는 사람들이 건물 밖으로 대피해야 한다는 상식을 바탕으로, 대피 경로 안내와 같은 정보를 제공할 수도 있습니다. 이러한 시스템은 재난 상황에서 사람들의 안전을 보장하고 피해를 최소화하는 데 중요한 역할을 합니다.

기술동향

상식기반 추론 기술 연구는 오래 전부터 시작됐다. 그 예로 MICC(미국)에서 1984년부터 현재까지 진행 중인 Cyc 프로젝트가 있다. Cyc는 인간의 상식을 표현하는 대규모 온톨로지와 상식 추론을 위한 다수의 추론 엔진 모듈을 개발하는 장기 프로젝트이다. 무려 150만여 개의 용어, 2,450만 개의 공리로 구성되어 있다.

또한 AI2(미국)에서 진행 중인 MOSAIC 프로젝트는 사회 상황, 정신 상태, 인과관계 등 상식의 다양한 측면을 반영한다. 이때 구축되는 상식 그래프 ATOMIC은 의미 표현에 중점을 둔 기존 지식베이스와는 달리, 상식을 구성하는 인과관계를 표현한다. ATOMIC은 880,000여 개의 트리플로 이루어진 지식베이스로 구성되어 있다.

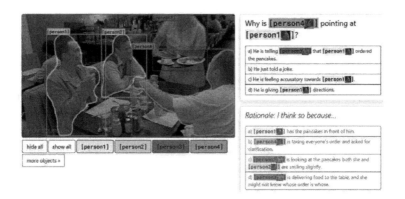

그림 8.1 MOSAIC 프로젝트

한편 이탈리아의 피사대에서는 축구에 대한 기본 상식을 바탕으로 추론하는 Event Calculus 기법을 연구했다. 높은 킥 추론 정확도(75.5%)를 보였다(프로젝트명: Visual Reasoning on Complex Events in Soccer Videos Using Answer Set Programming).

요약

상식 기반 추론은 AI가 인간의 일상적인 지식을 사용하여 다양한 문제를 해결하고, 더 인간적인 방식으로 상황을 이해하고 대응할 수 있게 합니다. 이는 AI 기술의 발전에 있어 중요한 분야 중 하나로, AI가 더욱 지능적이고 유용하게 활용될 수 있도록 하는 데 기여하고 있습니다. 상식 기반 추론을 통해 AI는 일상 생활에서의 복잡한 상황을 보다 잘 이해하고, 인간과 더 자연스럽게 상호작용할 수 있게 됩니다.

8.2. 지식 기반 추론과 상식 기반 추론의 비교

표 8.1 지식 기반 추론과 상식 기반 추론의 장점과 단점

구분	지식 기반 추론	상식 기반 추론
정의	명시적으로 정의된 지식을 바탕으로 결론을 도출하는 과정	사람들이 일상 생활에서 자연스럽게 사용하는, 명시적으로 정의되지 않은 일반적 지식을 사용하는 추론 과정
기반 이론	형식 논리, 온톨로지	인지 심리학, 상식 데이터베이스
주요 사용 사례	의료 진단 시스템, 법률 자문 시스템	일상 대화 이해, 간단한 문제 해결
장점	정확하고 신뢰할 수 있는 결론 도출	유연하고 다양한 상황에 적응 가능

	지식의 명시적	추론의 정확성과
단점	정의가 필요, 유연성 부족	신뢰성 확보가 어려움
제약 조건 프로그래밍 과의 연관성	제약 조건을 명확히 정의하고 해결하는 데 사용	문제 해결 과정에서 상식을 적용하여 보다 유연한 해결 방안 탐색
개념 그래프와의 연관성	개념과 관계를 명확하게 표현, 지식의 구조화에 유리	일상적 상황과 개념들 사이의 넓은 범위의 연결을 가능하게 함

지식 기반 추론

지식 기반 추론은 특정 분야의 전문 지식을 이용하여 문제를 해결하는 추론 방법입니다. 이는 지식을 명확하게 정의하고, 이를 기반으로 논리적 결론을 도출하는 과정을 포함합니다. 예를 들어, 의료 진단 시스템은 환자의 증상, 의학적 지식, 질병에 대한 데이터를 기반으로 진단을 내립니다. 이 과정에서 제약 조건 프로그래밍은 복잡한 의료 진단을 위한 규칙과 제약 조건을 정의하는 데 사용될 수 있으며, 개념 그래프는 의학적 개념과 관계를 구조화하여 표현하는 데 유용합니다.

상식 기반 추론

상식 기반 추론은 일반적인 상황에서 사람들이 자연스럽게 사용하는, 명시적으로 정의되지 않은 지식을 바탕으로 하는 추론 방식입니다. 이는 AI가 사람과 자연스럽게 소통하고, 일상적 문제를 해결하는 데 필수적입니다. 예를 들어, 간단한 대화 이해나 상황 판단에서 상식이 사용됩니다. 상식 기반 추론은 제약 조건 프로그래밍과 결합하여 문제 해결 과정에서 더 넓은 범위의 해결책을 모색하는 데 도움을 줄 수 있으며, 개념 그래프는 다양한 일상 상황과 관련된 개념들 사이의 연결을 표현하는 데 사용될 수 있습니다.

요약

제약 조건 프로그래밍과 개념 그래프는 지식 기반 추론과 상식 기반 추론을 통합하여 복잡한 문제를 해결하고, AI 시스템이 사람처럼 추론할 수 있도록 하는 데 중요한 역할을 합니다. 이 장에서는 이 두 추론 방식의 비교를 통해 각각의 장단점과 적용 사례를 탐구하고, 어떻게 이들이 상호 보완적으로 작동하여 AI의 추론 능력을 향상시킬 수 있는지 설명하였습니다. 제약 조건 프로그래밍과 개념 그래프의 결합은 AI가 보다 정확하고 유연하게 세계를 이해하고, 다양한 문제를 해결하는 데 기여할 것입니다.

기계독해기술(Machine Reading Comprehension, MRC)은 인공지능(AI)이 주어진 텍스트를 읽고 이해한 후, 특정 질문에 대한 답변을 찾아내거나 요약, 해석하는 기술을 말합니다. 이 기술의 핵심 목표는 컴퓨터가 인간처럼 자연어 텍스트를 처리하고, 그 내용을 이해하여 질문에 정확하게 답할 수 있도록 하는 것입니다. MRC는 자연어 처리(NLP), 기계학습, 의미론적 분석 등 다양한 분야의 연구 성과를 바탕으로 발전해 왔습니다.

MRC의 기본 원리

MRC 시스템은 크게 세 가지 주요 과정을 거칩니다.

텍스트 이해: 주어진 문서나 텍스트 데이터에서 중요한 정보, 개념, 관계 등을 파악합니다. 이 단계에서는 텍스트의 의미를 분석하고, 중요한 요소를 식별하기 위해 자연어 처리 기술이

사용됩니다.

질문 이해: 사용자로부터 받은 질문의 의미를 분석하여, 어떤 정보를 찾아야 하는지 결정합니다. 이 과정에서도 NLP 기술이 중요한 역할을 합니다.

답변 생성: 텍스트와 질문을 바탕으로 적절한 답변을 찾아내거나 생성합니다. 이 단계에서는 정보 검색, 텍스트 요약, 의미론적 분석 등의 기술이 활용됩니다.

MRC의 사례

고객 서비스 챗봇: 많은 기업들이 고객 질문에 자동으로 답변할 수 있는 챗봇을 운영하고 있습니다. 이 챗봇은 제품 매뉴얼, FAQ, 기업 정보 등의 대량의 텍스트 데이터에서 적절한 답변을 찾아내고, 사용자의 질문에 대응합니다.

법률 및 의료 문서 검색: 법률이나 의료 분야 전문가들은 방대한 양의 문서를 검토해야 할 필요가 있습니다. MRC 기술을 활용하면, 특정 법률 조항이나 의료 정보를 빠르게 찾아내고 관련 질문에 답변할 수 있습니다.

교육용 애플리케이션: 학습자가 교재 내용에 대한 질문을 하면, MRC 기술을 통해 즉각적인 피드백을 제공하는 교육 애플리케이션입니다. 학습자의 이해도를 높이고, 개별적인 학습 지원이 가능합니다.

기술 동향

MRC 분야는 빠르게 발전하고 있으며, 최근 몇 가지 중요한 기술 동향을 강조할 수 있습니다:

딥러닝과 트랜스포머 모델: 딥러닝 기술의 발전, 특히 트랜스포머(Transformer) 모델 같은 구조는 MRC의 성능을 크게 향상시켰습니다. BERT(Bidirectional Encoder Representations from Transformers)와 같은 모델은 텍스트의 깊은 언어적 이해를 가능하게 하여, 보다 정확한 답변을 생성합니다.

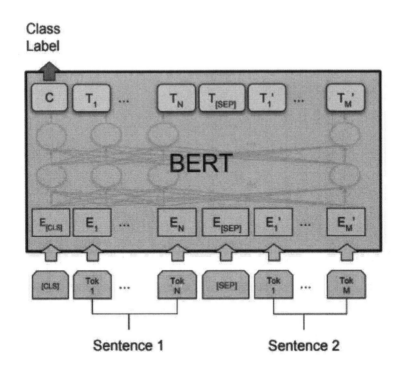

그림 9.1 BERT에 기반한 MRC의 사례

다양한 데이터셋과 벤치마크: SQuAD(Stanford Question Answering Dataset), Natural Questions와 같은 대규모 데이터셋이 MRC 연구를 위해 공개되었습니다. 이러한 데이터셋은 시스템의 성능을 평가하고, 다양한 질문 유형에 대한 이해를 높이는 데 기여하고 있습니다.

언어 모델의 사전 학습과 미세 조정: 대규모 언어 모델의 사전 학습과 특정 태스크에 대한 미세 조정 접근법이 널리 사용됩니다. 이 방법은 모델이 더 넓은 범위의 언어적 상황을 이해하고, 특정 도메인의 질문에 더 정확하게 답변할 수 있도록 합니다.

MRC 기술의 발전은 AI가 인간의 언어를 보다 깊이 있게 이해하고, 다양한 분야에서 실제 문제를 해결하는 데 기여하고 있습니다. 연구자들은 이 기술을 더욱 발전시키기 위해 언어 이해의 복잡성을 탐구하고, AI의 인간적인 이해 능력을 향상시키기 위한 방법을 모색하고 있습니다.

인공지능의 복합추론(Composite Reasoning)은 여러 추론 방식을 결합하여 복잡한 문제를 해결하거나 결정을 내리는 AI의 능력을 말합니다. 간단히 말해서, 복합추론은 다양한 종류의 정보와 지식을 함께 사용하여 더 정확하고 심층적인 이해를 도출하는 과정입니다. 이러한 접근 방식은 AI가 인간처럼 다양한 상황에서 유연하게 생각하고 문제를 해결할 수 있도록 합니다.

복합추론의 기본 원리

복합추론은 여러 추론 기법을 통합합니다. 예를 들어, 논리적 추론(사실들을 바탕으로 결론을 도출), 상식 기반 추론(일반적인 지식을 사용하여 추론), 시각적 추론(이미지나 도표를 분석하여 정보를 얻음) 등을 결합할 수 있습니다. 이를 통해 AI는 보다 복잡한 문제를 이해하고 해결할 수 있으며, 다양한 유형의 데이터와 상황에 대응할 수 있습니다.

복합추론의 사례

자율주행 자동차: 자율주행 자동차는 복합추론을 사용하는 대표적인 예입니다. 차량은 카메라와 센서로부터 얻은 시각적 데이터를 분석하여 주변 환경을 인식하고, 동시에 상식 기반 추론을 사용하여 도로 규칙과 예상치 못한 상황(예: 공사 구역이나 횡단보도 앞의 보행자)에 대응합니다. 이러한 복합적인 추론 과정을 통해 자율주행 자동차는 안전하게 운행할 수 있습니다.

의료 진단 시스템: 의료 진단에서 복합추론은 환자의 증상, 의료 이미지(예: X-레이, MRI), 의학적 지식을 통합하여 진단을 내립니다. 예를 들어, AI 시스템은 이미지에서 특정 질병의 징후를 식별하고, 해당 정보를 환자의 증상 및 의학적 상식과 결합하여 최종 진단을 내립니다.

개인화된 교육 시스템: 학생들의 학습 스타일, 선호도, 지식 수준을 분석하여 개인화된 학습 경험을 제공합니다. AI는 학생의 과거 학습 데이터, 행동 패턴, 성과 등을 종합적으로 고려하여 최적의 학습 자료와 방법을 추천합니다.

기술 동향

복합추론 기술의 발전은 AI 분야에서 중요한 연구 주제입니다. 최근의 몇 가지 중요한 기술 동향은 다음과 같습니다.

딥러닝과 다중 모달 데이터 처리: 딥러닝 기술은 이미지, 텍스트, 오디오 등 다양한 형태의 데이터를 처리할 수 있는 다중 모달 시스템의 발전을 이끌었습니다. 이를 통해 AI는 시각적 데이터와 언어 정보를 함께 분석하여 보다 정확한 추론을 할 수 있게 되었습니다.

그림 10.1. 다중 모달 데이터의 처리 (출처: 삼성SDS Brity Assistant)

인지 컴퓨팅: 인지 컴퓨팅은 인간의 인지 과정을 모방하여 복잡한 문제를 해결하는 AI 시스템을 개발하는 것을 목표로 합니다. 이는 AI가 인간처럼 생각하고 학습할 수 있도록 하는 고급 추론 능력을 포함합니다.

지식 그래프와 온톨로지: AI가 다양한 소스에서 얻은 지식을 통합하고 구조화하는 데 도움이 되는 기술입니다. 지식 그래프는 AI에게 세계에 대한 깊은 이해와 상호 연관된 정보 간의 복잡한 관계를 파악할 수 있는 능력을 제공합니다.

복합추론은 AI가 인간의 복잡한 사고 과정을 모방하고, 실제 세계의 다양한 문제를 해결하는 데 필수적인 역할을 합니다. 이러한 기술의 발전은 AI가 더욱 지능적이고 유용한 도구가 되도록 하며, 우리의 일상 생활, 교육, 의료 등 여러 분야에서 혁신을 가져올 것입니다.

인간처럼 사고하는 멀티모달(Multi Modal) AI

인공지능(AI)이 인간과 유사한 방식으로 다양한 정보를 처리하고 학습하는 멀티모달 AI의 개념은 인간의 언어 능력, 시각적 처리 능력, 그리고 다양한 감각 정보의 통합을 통한 지식 습득 능력에서 영감을 받았습니다. 인간은 언어를 통해 지식을 축적하고, 시각적 정보를 해석하며, 여러 감각을 통합하여 세상을 이해합니다. 예를 들어, 사과에 대한 초기 경험은 그 맛, 모양, 색상, 질감을 통해 이루어지며, 이후 언어 학습을 통해 이러한 경험이 '사과'라는 개념으로 정립됩니다.

그림 10.2 인간이 사과를 이해하는 다양한 방식

멀티모달 AI는 이러한 인간의 학습 방식을 모방하여, 텍스트, 이미지, 오디오 등 다양한 형태의 데이터를 동시에 처리하고, 이를 통합하여 더욱 풍부하고 정교한 이해를 가능하게 합니다. 예를 들면, AI가 '사과'라는 단어를 통해 텍스트 정보를 처리하는 것뿐만 아니라, 사과의 이미지, 사과를 먹을 때의 소리와 같은 여러 모달리티의 정보를 통합하여 사과라는 개념을 이해하고, 관련된 다양한 작업을 수행할 수 있습니다.

멀티모달 AI의 발전은 특히 자연어 처리, 이미지 인식, 감각 정보의 통합 처리 등 여러 AI 하위 분야에 걸쳐 중요한 연구 주제로 자리 잡았습니다. 예를 들어, OpenAI의 DALL-E 2 는 텍스트 설명을 바탕으로 해당 내용을 시각화하는 이미지를 생성할 수 있으며, 이는 텍스트와 시각 정보 간의 복잡한 관계를 이해하고 표현할 수 있음을 보여줍니다.

그림 10.3 우주에서 고양이와 농구를 하는 것'이라고 입력했을 때, 생성된 그림의 예 (출처: OpenAI)

멀티모달 AI의 발전은 또한 챗봇, 자율주행 자동차, 의료 진
단 시스템 등 다양한 응용 분야에서의 혁신을 가능하게 합니
다. 예를 들어, 멀티모달 AI를 활용한 챗봇은 단순한 텍스트
정보뿐만 아니라 사용자의 음성, 이미지 등 다양한 형태의 입
력을 처리하여 보다 정확하고 유용한 응답을 제공할 수 있습
니다.

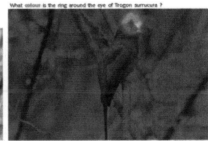

그림 10.4 멀티모달 AI에게 Trogon Surrucura의 눈 주변은
무슨 색이냐고 질문할 경우 '빨강'이라고 답한 예

(출처: Toward Data Science)

그러나 멀티모달 AI의 발전과 활용은 딥페이크와 같은 기술의 부적절한 사용, 데이터의 편향, 프라이버시 침해와 같은 윤리적, 사회적 문제를 수반할 수 있습니다. 따라서 멀티모달 AI 기술의 발전과 함께 이러한 문제에 대한 적극적인 연구와 규제 개발이 필요합니다. AI 기술의 발전은 인간과 유사한 수준의 복잡한 데이터 처리 능력을 목표로 하지만, 이와 동시에 인간 사회의 윤리적 가치와 규범을 존중하고 보호하는 방향으로 진행되어야 합니다.

맺음말

이 책에서는 제약 조건 프로그래밍과 개념 그래프의 이론 및 응용에 대해 광범위하게 탐구했습니다. 제약 조건 프로그래밍은 복잡한 문제 해결 과정에서 중요한 역할을 하며, 차량 라우팅, 스케줄링, 구성과 같은 다양한 분야에서 그 유용성이 입증되었습니다. 이러한 문제들은 제약 조건 프로그래밍을 통해 효율적으로 해결할 수 있으며, 이는 제약 조건 프로그래밍이 현실 세계의 다양한 제한 사항과 측면 제약 조건을 모델링하고 해결할 수 있는 강력한 도구임을 보여줍니다.

제약 조건 프로그래밍의 성공은 제약 전파와 같은 기술을 통해 문제의 해결 과정에서 발생할 수 있는 가능성의 범위를 줄이는 능력에서 비롯됩니다. 이는 특히 차량 라우팅 문제에서 중요한데, 여기서는 최적의 경로를 찾기 위해 다양한 제약 조건을 고려해야 합니다. 제약 조건 프로그래밍은 이러한 문제를 해결하기 위해 필요한 유연성과 일반성을 제공합니다.

스케줄링 문제에서 제약 조건 프로그래밍은 자원 할당과 관련된 복잡한 결정을 내리는 데 필요한 도구를 제공합니다. 이는 공항의 게이트 할당, 조립 라인의 직원 배치, CPU 작업 할당 등 다양한 상황에서 적용될 수 있습니다. 제약 조건 프로그래밍은 이러한 문제를 해결하는 데 있어 필수적인 유연성과 효율성을 제공합니다.

구성 문제에서 제약 조건 프로그래밍은 사용자가 다양한 옵션 중에서 선택하여 맞춤형 시스템을 설계할 수 있도록 지원합니다. 이는 홈 엔터테인먼트 시스템, 자동차, 휴가 패키지 등 다양한 분야에서 응용될 수 있습니다. 제약 조건 프로그래밍은 사용자의 선택에 따라 동적으로 변화하는 제약 조건을 관리할 수 있는 능력을 제공합니다.

개념 그래프는 제약 조건 프로그래밍과 밀접하게 관련되어 있으며, 복잡한 아이디어와 관계를 시각적으로 표현하는 데 사용됩니다. 개념 그래프는 실존적 수량자, 부정, 암시 등을 포함한 다양한 논리 연산자를 사용하여 아이디어 간의 관계를 명확하게 표현할 수 있습니다. 이는 문제 해결 과정에서 중요한 아이디어와 관계를 명확하게 이해하고 분석하는 데 도움이 됩니다.

개념 그래프의 발전은 프레게, 피어스, 캠프와 같은 학자들의 연구에 기반을 두고 있으며, 이들은 논리적 추론과 의미 표현에 대한 다양한 접근 방식을 제시했습니다. 이러한 접근 방식은 개념 그래프의 발전에 중요한 영향을 미쳤으며, 개념 그래프를 사용하여 복잡한 논리 구조를 표현하고 분석할 수 있는 기반을 마련했습니다.

개념 그래프와 제약 조건 프로그래밍의 결합은 복잡한 문제 해결 과정에서 강력한 도구를 제공합니다. 개념 그래프는 문제의 핵심 아이디어와 관계를 명확하게 시각화하는 데 도움이 되며, 제약 조건 프로그래밍은 이러한 아이디어와 관계에 대한 제약 조건을 효과적으로 모델링하고 해결할 수 있는 메커니즘을 제공합니다. 이러한 결합은 차량 라우팅, 스케줄링, 구성 등 다양한 분야에서 효과적인 문제 해결책을 찾는 데 중요한 역할을 합니다.

제약 조건 프로그래밍과 개념 그래프의 연구와 응용은 계속해서 발전하고 있으며, 이는 더욱 복잡하고 도전적인 문제를 해결할 수 있는 새로운 방법과 기술을 발견하는 데 기여할 것입니다. 이러한 발전은 제약 조건 프로그래밍과 개념 그래프가 제공하는 유연성, 일반성, 효율성을 바탕으로, 현실 세계의 다양한 문제에 대한 해결책을 찾는 데 중요한 역할을 할 것입니다.

결론적으로, 제약 조건 프로그래밍과 개념 그래프는 복잡한 문제 해결 과정에서 중요한 도구입니다. 제약 조건 프로그래밍과 개념 그래프에 대한 이 책을 통해, 우리는 복잡한 문제 해결 과정에서 이 두 분야가 어떻게 중요한 역할을 하는지를 탐구해 보았습니다. 제약 조건 프로그래밍은 복잡한 제약 조건을 가진 문제를 해결하기 위한 강력한 도구로, 개념 그래프는 정보의 구조화와 지식 표현에 있어 매우 유용한 방법론입니다. 이 두 기술을 통합함으로써, 우리는 더욱 효율적이고 효과적인 문제 해결 방법을 개발할 수 있음을 보여주었습니다.

이 책에서는 제약 조건 프로그래밍의 기본 원리와 알고리즘, 개념 그래프의 구조와 응용 방법에 대해 자세히 논의하였습니다. 또한, 이러한 이론들이 실제 세계의 문제, 특히 인공지능, 데이터 분석, 시스템 설계와 같은 분야에서 어떻게 적용될 수 있는지에 대한 다양한 사례 연구를 제공하였습니다. 이를 통해 독자들은 제약 조건 프로그래밍과 개념 그래프가 어떻게 상호 보완적으로 작용하여 복잡한 문제를 해결할 수 있는지에 대한 깊은 이해를 얻을 수 있을 것입니다.

그러나, 이 분야의 연구는 여전히 초기 단계에 있으며, 앞으로 많은 발전이 기대됩니다. 복잡성 증가, 데이터 양의 폭발적 증가, 계산 능력의 향상은 이 두 기술의 발전 가능성을 더욱 확장시키고 있습니다. 따라서, 이 책이 제공하는 지식과 인사이트가 미래의 연구자들에게 영감을 제공하고, 새로운 발견과 혁신으로 이어지기를 바랍니다.

마지막으로, 제약 조건 프로그래밍과 개념 그래프의 연구와 응용은 계속해서 발전할 것입니다. 이 분야의 연구자들은 새로운 이론, 방법론, 도구를 개발함으로써 문제 해결의 범위를 확장하고, 더욱 복잡한 문제에 대응할 수 있는 능력을 향상시킬 것입니다. 우리의 지식과 기술이 발전함에 따라, 제약 조건 프로그래밍과 개념 그래프는 우리가 직면한 다양한 도전을 극복하는 데 있어 더욱 중요한 역할을 할 것입니다. 이 책이 이러한 발전의 초석이 되길 희망합니다.